영어 잘하고 싶다면 단어장을 버려라

발행 2025년 2월 12일
기획 군사경제토크 매거진 <<Mil-Econ>>
집필·편집 Young H. D. Kim
편집·디자인 김유리
네이버검색 young h. d. kim
대표이메일 parkims2023@gmail.com | parkims2023@naver.com

펴낸이 한건희
펴낸 곳 주식회사 부크크
출판사등록 2014년 7월 15일(2014-16호)
주소 서울특별시 금천구 가산디지털1로 119 SK트윈타워 A동 305호
전화 1670-8316
이메일 info@bookk.co.kr

ISBN 979-11-419-8689-6

www.bookk.co.kr

<영어 잘하고 싶다면 단어장을 버려라>

드디어 통하는 영어 완성 노트

글쓴이

Junghunne "Young Hun" Dalton Kim
한국명: 김정훈(金廷勳)
군사경제매거진 <<Mil-Econ>> 대표

1982년 이른 봄 한국에서 태어난 저자는 미국에서 Unifier of the Korean Peninsula (한반도를 통일한 자), Alexander of the East (동방의 알렉산더), 그리고 Mentor of Human Race: Admiral Lee and the Saga of 1st Global Hegemonic War (인류의 멘토: 이순신 제독과 제1차 세계경제 패권전쟁) 등 여러 저서들을 출판했다.

40개가 넘는 나라들을 오가며 평범하지 않은 많은 경험을 했던 그는 어느 한 사회와 한 언어에 국한된 삶을 살기보다는 세계로 열린 삶을 살아왔으며, 생존을 위한 현지에서의 오랜 몸부림으로 여러 문화와 언어에 대한 깊고 실질적인 지식과 이해력을 가지고 있다.

평생을 많은 언어를 배우고 가르치며 살아온 저자는 누구보다 미래를 위해 외국어를 배워야 하는 이들 마음속의 기대감과 설렘은 물론, 매번 마주하게 되는 그만두고 싶은 불확실함과 자신감 부족이란 스트레스를 누구보다도 잘 공감하기에, 항상 가장 효과적인 언어학습 방법에 대해 끊임없이 생각하고 또 생각해왔다.

편집 및 디자인

김유리
군사경제매거진 <<Mil-Econ>> 마케팅이사

스타트업, 프리랜서 마케터로 오랫동안 일해왔으며, 현재 <<밀리콘>>에서 CMO (Chief Marketing Officer) 자리를 맡고 있다.

더 좋은 양질의 세계 군사경제 관련 콘텐츠를 만들기 위한 proofreading 작업과 편집 supervising은 물론, 발간된 매거진 글의 효과적인 홍보를 위한 전체적인 마케팅을 총괄하고 있다.

그 밖에 영어교육 application 개발회사 등의 콘텐츠 기획 및 소재 제작, 사진 및 영상 촬영과 편집, SNS 원고 작성, 광고 카피라이팅 작성, 그리고 퍼포먼스 광고 세팅 등 올라운드 마케터 및 작가로 활발하게 활동 중이다.

응원의 글

영어공부 정말 열심히 해오셨지요? 글로벌 시대를 살아가는 우리는 외국인과 영어로 대화를 할 기회도, 또한 업무상 그렇게 해야 하는 경우도 점점 더 많아지고 있습니다.

외국인과 대화 중 잘 못 알아들어도 배운대로 당황하지 않고 "Beg your pardon?"이라고 말씀들 잘 하시네요. 상대방의 자연스러운 반응을 보니 기분도 좋아지고 자신감도 생기셨어요. 지금입니다. **"못 알아들어 죄송합니다, 제가 요즘 귀가 어두워져서요"**라고 농담을 한번 더 해 보실까요?

배운 단어를 이용해서 "Sorry, my ears became dark"라고 말씀하셨어요. 그런데 상대방이 어리둥절한 표정을 합니다. "소리를 듣는 귀가 어떻게 밝아(bright)지거나 어두워(dark)질 수 있는가?" 한참을 생각합니다.

한국말로는 조금 이상하게 들릴지 모르지만, 영어라는 언어의 심리로는 **"귀가 늙어가고 있다"**처럼 말하셔야 의도하신대로 상대가 이해를 합니다.

"My ears are getting old."

응원의 글

세계제일의 엄청난 교육자금과 시간 투자에도 불구하고, 굳이 한국어로 소통이 가능한 한국인들 앞에서는 영어실력을 뽐낼 수 있으면서도, 정작 진짜 영어를 통한 소통이 필요한 원어민들 앞에만 서면 "영어울렁증"이란 세계유일의 불안감-심리공포 공격을 받게 되는 눈물나는 우리의 모습입니다.

"왜 갸우뚱하지? 내 발음을 못 알아들었으면 어쩌지?" ㅠㅠ

"저 사람 내가 아는 단어로 말하는 거 같은데 이해가 안돼. 대체 무슨 뜻이야?" ㅠㅠ

한국에서 다년간 영어회화를 가르쳐 오면서, 이럴 수밖에 없는, 한국의 영어교육이 놓쳐왔던 부족한 포인트를 정확하게 파악하게 되었답니다.

> "한국어의 언어심리"로 영어를 하라고 배움 =
> 한국어 정의로 영단어 암기 + 배운 문법에 껴넣는 한국식 영작

정말 열심히들 합니다. 시험을 보면 배운대로 영작도 잘하세요. 그런데 이러한 교육방식을 고수하면서, 결국 "소통이 되는 영어"를 하기 위해서는 반드시 배워야만 하는 필수 과정이 있습니다.

안타깝게도 지금까지 한국의 영어교육은 이 과정만 쏙 빼놓고 학습시켰네요.

> 바로 영어라는 언어의 표현심리를 이해하고 받아들이는 과정입니다.

그렇기 때문에 그토록 열심히 해도 결과는 아쉬울 수밖에 없었던 것이고요.

응원의 글

한국어로 정말 멋진 말을 알고 계세요. 유명한 문학구절인 듯한데 미디어에서 한번 들어보신 이후로 가슴 속에 자리잡아 잊혀지지가 않습니다. 너무 마음에 드는 구절이에요.

하지만 이렇게 **한국어심리**를 만족하는 표현을, 최대한 그 맛을 살리기 위해 조심스레 한국어 정의에 가장 부합하는 영어어휘를 선택하여 번역해 봐야 **영어의 심리**는 이를 공감하지 못합니다.

상대방이 **영어의 심리**를 가진 이라면 그 언어심리의 바탕을 이해하고 그 심리가 소화해 낼 수 있는 표현을 선택해야 의도한바 그대로 소통이 되는 것이겠지요. 그 표현방식이 **한국어심리**로 받아들이기에는 아무리 매력이 없고 부족하다 느껴지더라도 말입니다.

우리는 한국어를 이해하고 한국어로 소통이 가능한 이들과 함께 살기위해 영어를 배우는 것이 아닙니다.

우리가 영어를 그토록 열심히 배우는 목적은 바로 한국어가 통하지 않는 세상과 소통하고 세계의 일부로 부족함 없이 함께 잘 살아갈 수 있기 위해서입니다.

> 따라서 이 책은 그러한
> 잃어버린 목적을 되찾기 위해
> 한국어와 영어라는
> **두 언어표현의 심리 차이**를
> 알려드립니다.

응원의 글

"에어컨"이란 말은 영어말 "Air Conditioner (AC)"이 변형된 말로, 이제는 그냥 한국어가 되어버린 외래어입니다. 에어컨의 시원한 "바람"은 정말 무더운 여름날 은인과 같습니다.

"바람"은 영어로 무엇이라 생각하시나요? 혹시 "wind"라고 생각하신다면, 이게 왜 "윈드컨"이 아니라 "에어컨"일까요? 이러한 차이는 한국어와 영어의 표현 차이에서 계속해서 발견된답니다.

> 상쾌한 바람 좀 쐬러 가자. = Let's go take some fresh air.

만약 한국어의 바람을 그대로 직역하여 wind라는 말을 사용한다면 아래와 같겠습니다.

Let's go take some fresh wind.

영어의 심리는 이 말을 듣고 고개를 갸우뚱합니다. 어떻게 wind가 fresh하지? 왜냐하면 **"wind 좀 쐬러 가자"**는 영어심리에게는 **"강풍 맞으러 가자"**는 느낌이기 때문입니다.

보통 한국의 영어학습이 가르치는 "air = 공기"라는 공식은 저 두 언어의 심리 차이 때문에 실제 소통시에는 완전히 깨져 버립니다.

영어가 모국어인 심리에서는 "air"라 하더라도, 한국어심리로 번역을 하게되면 단순히 "공기"만을 뜻하는 것이 아니라 "바람" "하늘" "공중" 등 상황에 따라 여러가지로 사용해야만 의미가 제대로 전달 된답니다.

응원의 글

이러한 언어심리의 차이 때문에 영어를 배우는 한국인과 마찬가지로 한국어를 배우는 미국인들도 비슷한 실수를 하곤 하네요.

제 외국인 지인은 더운 여름날 운전을 하다가 더워서 에어컨을 켰는데, 뒷좌석에 앉은 한국인이들에게도 바람이 가는지 이렇게 물어보았습니다.

"뒤에도 공기 있어요?"

뒷자석에도 차가운 공기가 있느냐는 질문이겠지요?

즉 air conditioner이란 기기는 **한국어심리에서와 같이 차가운 바람을 쏘아 주는 기계가 아니라** 주변 공기(air)의 기온이나 습도 등 상태(condition)를 조절하는 기기라 **받아들이는 영어심리랍니다.**

한국에서 그냥 공기라고 보통 배우고 알고 있는 이 air라는 말의 실제 영어활용법을 하나만 더 살펴보겠습니다.

The air plane seems far away super high in the air.
(한국어심리: 그 비행기는 하늘 저 높이 멀리 있는 것 같아요.)
(영어심리: 저 비행기 공기 속 정말 높이 멀리 있는 듯 하네요.)

보이시나요?

영어의 심리 속에서 "air"란 것은 항상 주변을 채우고 머무르며 떠있는 "정적"인 것입니다.

반면에 wind는 어떨까요?

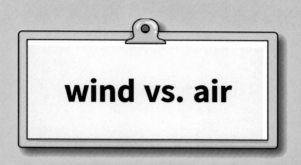

"Gone with the Wind (바람과 함께 사라지다)"라는 유명한 미국의 클래식 영화, 들어보셨나요? Wind와 함께 움직이네요.

That's history going to the wind. (그것은 바람에게로 가는 역사이다.)

계속해서 불면서 움직이는 바람에게 가면 결국 함께 사라지겠지요. 그래서 한국어심리로 번역을 하면 **"결국 그 일은 바람과 같이 사라져버리는 잊혀진 과거의 일부가 된다"**는 의미입니다.

(= **It's going away.** = **It is disappearing.** = **We are forgeting about it.**)

한국어 어휘도 70퍼센트가 한자어라 하듯이 영어의 어휘도 특히나 라틴어를 바탕으로 한 단어들이 많답니다.

동방에서는 중국의 한자어가 한국어, 일본어, 베트남어 등 많은 나라의 어휘에 영향을 주었듯, 서방에서는 각국의 왕위를 정식으로 봉해주던 로마교황의 언어 "라틴어"가 영어 뿐 아니라 독일어, 프랑스어 등 많은 나라의 어휘에 영향을 주었습니다.

이 "바람"이란 뜻인 vent가 그 수많은 예들 중 하나인데요. 프랑스어로도 바람은 vent, 그리고 독일어에서도 vent입니다. 단 독일어에서는 **vent (vint)** 와 같이 읽으면서 스펠링은 **wind (vvind)**로 쓰는데 이것이 오늘날 영어의 **wind (uuind)**가 됩니다.

우리가 좋아하는 이벤트(Event)에도 바람(vent)이 있습니다. 무언가 **진행되고 흘러가고 일어나는 것**이 바로 E-vent이지요. 이 경우처럼 단순히 공간적인 흐름이 아닌 시간적 흐름까지도 포함합니다. Vint+age (빈티지)도 **시간이 많이 흘러가서 세월이 나이그룹처럼 쌓인 것**을 뜻하네요.

항상 움직이는 "동적"인 것이 영어심리에서의 wind입니다.

예방한다는 말인 prevent는 큰일이 벌어지기 전에 **미리(pre) 바람(vent)을 넣어주어 환기시키고 사고를 예방한다**는 뜻입니다.

환기시킨다는 영어로 동사 ventilate을 사용하지요. 바람(vent)으로 이어주는(il) 행동(a[c]te)이라는 뜻입니다. 동방의 언어심리는 "공기(氣)를 순환(換)시켜준다" 즉, "환기(換氣)"네요.

응원의 글

여기서도 **바람(vent) VS 공기(空氣)** 의 언어심리가 충돌합니다. 하지만 "어떻게" 멈춰있는 공기를 순환시키는가에 심리를 집중해보면 *결국 움직이는 바람을 넣어주고 안의 공기를 바깥과 이어주어 ventilate 하는 것이겠지요.*

그렇다면 결론은 이렇네요. 영어에서 바람은 air라 해야하고 한국어에서 air는 바람이라 해야한다는 결론이 아니고요.

영어에서나 한국어에서나 air가 "정적"인 공기이고 wind은 "동적"인 바람으로 동일하지만, **한국어의 심리는 "흘러가며 부는 시원한 바람을 쐬고 싶다"라 표현하고, 영어의 심리는 "밖에 가만 떠있는 시원한 공기를 느끼고 싶다"라 표현하는 언어심리의 차이가 있을 뿐**이란 것입니다.

즉, 이러한 표현심리의 차이만 제대로 배우고 활용하는 훈련이 되신다면, 영어 까짓거 더 이상 그리 어려운 것이 아니라는 말이지요.

> 하지만 그 외에도 아직 한가지 장애물이 더 남아 있습니다. 언어학적으로 더 발달한 언어인 한국어의 심리에게 있어 **영어의 표현들은 무언가 부족하게 느껴질 수밖에 없다**는 문제입니다. 그래서 한국의 영어는 **자꾸 불필요한 말을 더 집어넣는 경향**이 뚜렷이 보인답니다.

그도 그럴 것이 오늘날 한국어는 17만개에 달하는 표현어휘를 사용합니다. 하지만 영어의 어휘는 끽해야 5만에서 6만이 채 되질 않고요.

영어에도 명사(noun, n.)는 풍부합니다. 한국어에서 오히려 외래어 명사로 가져다 사용할 정도이지요. 현대시대로 들어서면서 티비, 컴퓨터 등 새로운 발명품들이 대부분 서방에서 나왔기 때문이겠네요.

응원의 글

하지만 형용사(adjective, adj.)와 동사(verb, v.)의 표현 어휘가 한국어에 비해 현저히 부족합니다. 그래서 **명사를 자꾸 동사로 사용하는 경향이 심한** 언어가 영어이며, 또한 **하나의 동사가 많은 의미로 사용이** 될 수밖에 없습니다.

한가지 예로 한국에서 "달리다"란 의미로 배우고 일반적으로 아는 "run"이란 간단한 동사를 한번 살펴보겠습니다.

I run. (나는 달린다.)

I run a race. (나는 달리기 시합을 뛴다.)

He ran for his life. (그는 살려고 달아났다.)

I run a business. (나는 사업체를 하나 운영한다.)

I used to run an English program. (나는 영어코스를 하나 진행했었다.)

"진행한다"고 동사 progress를 사용하시면 이상하지요. 무언가 부족하고 마음에 안 드셔도 그냥 **"run"**을 사용하셔야 올바른 의도로 전달됩니다.

The weekly magazine ran a political article.
(그 주간지는 정치기사를 하나 게재했다.)

Running water (물이 제대로 흘러나오는 [상수도 시설])

Runny nose (흘러내리는 코)

응원의 글

Your nose is running. (콧물이 나오네요.)

여기서 코(nose)가 아니라 콧물(snot)이 흐르는 것이지만 "Your snot is running"이라 하지 않습니다. 한국어심리에서는 "코가 흐른다"와 "콧물이 흐른다"가 둘 다 통하지만, 영어의 표현심리에서는 **"코가 흐른다" 하나만 받아드리는 방향으로 정착이 되었어요.**

We run **a campaign.** (우리는 캠페인을 나선다.)

Running **mate** ([선거 등] 캠페인에 함께 나서는 동료)

We run **an election campaign together.** (우리는 함께 선거 운동을 한다.)

이것을 "운동을 한다"라고 "We exercise an election campaign together"이라 하면 거창하게 무언가 있는 것 같으면서도 많이 부자연스럽고 엉뚱해진답니다.

동사 exercise의 올바른 사용 예문을 하나 보여드리면 다음과 같습니다.

We don't have to hold it back, and we will exercise **our right.**
(우리는 참아야 할 필요가 없으며, 우리의 권리를 행사할 것이다.)

"참다"라는 말도 한국에서는 **"endure"**을 많이들 씁니다. 이 단어는 "참아내다"라는 뜻이 있지만, 고통이나 힘든 일을 견디어 내는 것을 뜻한답니다.

반면에 위의 예문에서 방금 배우신 **"hold back"**은 무언가 또는 누군가를 밖으로 또는 앞으로 내보내지 않고 안에다 혹은 뒤에다 잡아둔다는 말입니다.

응원의 글

He's been holding me back. (그는 나를 잡아두고 놓아주질 않고 있어.)

I'm in a hurry; I've been holding it back. (O)
I'm in a hurry; I've been enduring it. (X)
(제가 [화장실이] 좀 급해요, 참고 있었거든요.)

한국어의 표현심리에서는 똑같은 "참는 것"으로 말하지만, 영어의 심리는 이 경우 "밖으로 배출하지 않고 잡아두고 있다"라 표현하고 싶어합니다.

> 미국의 "나랏말(國語)"은 영어이지요? 미국인들이 자신들의 "국어(國語)"를 옛 식민 지배국이던 "영국(England)의 언어"란 뜻인 "English (영어)"라고, 그냥 아무렇지도 않은 듯 그렇게 부르는 모습이 한국의 심리로는 선뜻 이해가 되질 않습니다.

우리네 [한]국어와 세계의 공용어 영[국]어, 알고 보니 같은 상황이나 같은 대상을 표현하고자 하는데도, 그를 바라보는 시각과 그에 따른 표현심리가 확실히 다른 것 같네요.

아무튼 한국어와 영어의 심리가 이렇게 다르다는 현실을 바로 아셨으니, 이제는 한국어심리를 영어로 그대로 표현하던, 실제 대화에서 많은 오해를 야기하는 그러한 시험용 영어에서 자유로워지실 수가 있습니다.

시험 답안지에는 "He is cute"을 "그는 귀엽다"라고 한국식으로 번역해서 답을 쓰셔야 했지요? 하지만 실제 영어의 심리에서는 "저 사람 예쁘네, 매력 있네, 끌리네, 관심이 가네" 등으로 통합니다.

응원의 글

"나 오늘 저녁에 약속 있어"라는 말을 "I have a promise this evening"과 같이 표현하지 않는다는 사실도 알게 되십니다.

비록 한국어 표현심리에서는 같은 "약속"이니까 말이 통하는 것 아니냐 하셔도, 영어의 심리는 이를 받아들이지 않기에 소통이 되질 않습니다.

그렇다면 한국어 정의로는 같은 약속이라 배웠는데 promise 말고 또 어떠한 명사를 넣어야 소통이 될까요? 혹시나 약속과 맹세라는 명사인 oath을 선택하지는 않으셨지요?

힌트를 드리자면, 영어의 심리에서 시간과 장소, 인물 등을 "선정하고 임명하다"인 동사형 "appoint"를 명사 형태로 고친 말입니다. 본문에서 정답을 확인해 보세요.

그토록 마음고생을 해오면서도 지금껏 가질 수 없던 그 성취감과 자신감이란 희열, 마침내, 이 짧은 책 한권과 함께 만끽해 보시기를 바라는 마음입니다.

2025년 문턱의 차가운 어느 겨울날
저자 *Young H. D. Kim* 드림

목차

목차

목차

목차

목차

목차

목차

약속 있어요.

(x) I have a promise.

(o) **I have an appointment.**

만남 등의 "약속"이 있다고 말하고 싶은데 "promise"를 많이 쓰시네요. 저녁 약속, 미팅약속 등은 한국어 심리에서 어찌 하자고 함께 정하는 행위에 초점을 맞추어 표현하는 것과 달리, 영어의 심리에서는 시간이나 장소 또는 사람 등을 선택하고 선정하는 행위에 초점을 맞추어 "appointment"라고 표현하게 되어 있답니다.

✅ 활용 예시

Do you have an appointment tonight?
(오늘밤에 약속 있어?)

I got an appointment this weekend.
(이번 주말에는 선약이 있네요.)

I made a doctor's appointment tomorrow.
(나 내일 진료 예약 있어.)

👉 SIDE INFO

I promise. = You have my word.
(약속/맹세할게.)

You promised! = You gave me your word!
(그렇게 한다고 했잖아!)

장담해요. (나를 믿어요, 맹세할게요.)

> (x) I guarantee.
>
> (o) I swear.

"내가 장담(壯談)한다" "내 손에 장을 지진다"라는 표현을 정말 많이 들었습니다. 무슨 뜻인고 하니 "내 말을 믿어라" "진실을 말하고 있다" 등의 의미가 있네요. 이때는 보장한다는 guarantee보다 "맹세하다"라는 뜻인 "swear"을 사용하시는 것이 영어심리 뉘앙스(nuance)가 더 와닿습니다.

● 활용 예시

Honey, I swear to God.
(자기야, 나 하늘에 맹세하건데 진짜 결백해.)

I swear to my mother's grave that I've never cheated on you, hon. (우리 엄마 무덤에 맹세컨데 나 바람 피운 적 없어, 자기야.)

I swear I'll love you forever. = I promise I'll love you forEVER. (내가 약속할게, 당신을 영원토록 사랑할거야.)

👉 SIDE INFO

Daddy: I will be back by tomorrow. (내일까지 꼭 돌아올게.)
Baby: Really? Promise? (정말? 약속?)
Daddy: Promise. With our pinkies crossed. (새끼손가락 걸고 약속.)

참고로(FYI), 새끼손가락을 걸고 약속함을 "pinky swear"이라고도 합니다.

장담해요. (나를 믿어요, 내가 책임질게요.)

(x) I swear.

(o) **I guarantee.**

한국말로는 똑같이 "보장한다"의 표현으로 번역되지만 그 의도가 다를 때가 있습니다. 변호 또는 맹세와 약속의 느낌보다는 "내가 보장하고 책임지겠다"라는 느낌이지요.

✔ 활용 예시

I guarantee that it's gonna be a great success.
(내가 장담컨데 이거 진짜 대박 날거야.)

I guarantee it. (그거 내가 보장해요.)

You don't wanna do it; I guarantee [that it will cause a trouble]. (그거 하지마, [문제 생겨,] 내가 보장해.)

👉 SIDE INFO

"Don't do it!" 하고 많이들 하시던데 너무 강합니다. 상대방이 기분 나빠해요. 명령의 의미입니다. "그거 하지마" "너 그거 안하는게 좋겠어" "그럼 후회할거야" 와 같이 의견과 제안, 조언 또는 경고 등을 표현하고 싶으시면 아래와 같이 말씀하시면 돼요.

You don't wanna do it. (하지마, 후회할거야.)

Oh, you don't wanna buy it. (사지마, 그거 사면 후회할걸.)

Oh, you don't wanna take it. (그거 받지마, 후회할테니.)

그 사람 빽이라도 있나요?

(x) He got a background?

(o) **He got a connection?**

아는 지인이 진급하기 힘들거라 생각했던 자리로 진급하게 되었어요. 어떻게 해냈지? "빽"이 있나? 하고 묻고 싶은데, 뒤를 봐준다고 background 의 "back (빽)"을 사용하시면 안돼요. 실제 원어민과 대화하실 때 저렇게 말씀 하시면 못 알아듣습니다. 이런 경우에는 "connection (연결고리, 인맥)"이라 고 하시면 됩니다.

✓ 활용 예시

How did he make that promotion? Does he have a connection? (그 상황에서 어떻게 진급했대? 그 사람 인맥있어?)

The Captain's got a connection in the Regiment HQ.
(우리 중대장 연대본부에 빽있어.)

You look so laid-back. You got a connection or what?
(진짜 태평해 보이네. 든든한 빽이라도 있어?)

👉 SIDE INFO

He has been very _laid back_ about the whole thing.
(그는 그 상황에 대해 진짜 태평하다.)

He's been pretty _laid back_ about it.
(그는 그것에 대해 상당히 태평하다.)

영어를 사용하고 싶어요.

(x) I want to use English.

(o) **I want to speak English.**

영어회화 실력을 향상시키고 싶어요. 영어를 더 많이 "쓰고, 사용"하고 싶다고 말하고 싶은데, 한국어로는 "말을 사용한다"고 해도, 영어로 말할 때는 "영어를 더 사용(use)하고 싶다"는 부자연스러운 한국어 심리로 생각하시면 상대방은 갸우뚱합니다. "언어를 말하다"는 무조건 "speak"을 사용하면 됩니다.

✔ 활용 예시

Do you speak English?
(영어 하세요?)

You speak English?
(영어 해요?)

I wanna speak English more often.
(나 영어를 더 많이 쓰고 싶어요.)

👉 SIDE INFO

문어체: I really want to have a younger sister.
(저는 정말로 여동생이 갖고 싶습니다.)
회화체: I really wanna have a baby sister.
(저 진짜 여동생이 갖고 싶어요.)

영어 할 줄 알아요.

> (x) I can speak English.
>
> (o) **I speak English.**

영어를 말할 수 있다 또는 말할 수 없다라는 "능력을 표현" 하고 싶으세요. 한국어 심리 그대로 "can"과 "cannot"을 많이 쓰네요. 하지만 특정 언어로 말할 수 있느냐 없느냐를 표현하는 영어의 심리는 단순히 그 언어 "하냐?" "안하냐?"로써 *can*은 무시하시고 그냥 *speak* 만 사용하면 됩니다.

✔ **활용 예시**

Do you speak Korean?
(한국어 할 줄 아세요?)

I don't speak English.
(영어는 못해요.)

I speak English a little bit.
(영어 조금 할 수 있어요.)

👉 SIDE INFO

잘 한다는 well과 be good at을 사용하여 표현한다 배우셨지만, 항상 그렇진 않아요.

I can't speak English well. (X)   I don't really speak English. (O)

My child is good at studying. (X)   My child is a good student. (O)

표현
007

물티슈 좀 주세요.

(×) Would you get me some water tissue?

(○) **Would you get me some wet tissue?**

한국어로 "물" 티슈니까 영어로도 그냥 "water" tissue라고 하시더라고요. 같은 것이지만, 영어의 표현심리로는 물 티슈가 아니라 "젖은" 티슈 즉, "wet" tissue라고 합니다.

✓ 활용 예시

Can I have some wet tissue, please? (물티슈 좀 주실래요?)

Would you pass me that wet tissue? (거기 물티슈 좀 건네 주실래요?)

I will get you some wet tissue. (물티슈 좀 드릴게요.)

👉 SIDE INFO

부탁해요라는 뜻인 please는 줄임표현이란 사실. 알고 계셨나요?

불어인 s'il vous plaît를 영국의 귀족들이 영어식으로 바꾼 것이랍니다.
(if it pleases you: 만약 그게 당신을 기쁘게 한다면 그렇게 해주시겠어요? 부탁
드려도 될까요?)

오늘날 미국에서는 잘 사용하지 않지만, 혹시 영국 등 유럽에서 누군가 if you
please하고 물어봐도 "네?" 하고 당황하지 않으셔도 돼요.

그냥 예의상 하는 please랑 같은 말이란 사실을 이젠 아시니까요.

진눈깨비가 내려요.

(x) It's water-snow.

(o) **It's sleet.**

첫눈이 오는데 진눈깨비인지라 비인지 눈인지 모르겠네요. "물 같은 눈"이라고 water-snow라고도 하시던데, "진눈깨비"는 간단하게 "sleet"이라고 합니다. 영어문장에서 비(rain)나 눈(snow)처럼 "명사"와 "동사"로 둘 다 사용을 합니다.

✓ 활용 예시

Look out the window. It's sleet**.** (창 밖 좀 봐봐. 진눈깨비야.)

It sleets **a lot.** (눈이 물 같이 엄청 내리네.)

Look, sleet **falls!** (봐요, 진눈깨비 와요!)

👉 SIDE INFO

문 등을 "통해" 나가거나 보다의 표현은 간단하게 out을 사용합니다.

I dropped it <u>out the window</u>. (창밖으로 떨어뜨렸어요.)

He jumped <u>out the window</u>. (그 사람 창문으로 나갔어요.)

She walked <u>out the door</u>. (그녀는 문밖으로 나갔어요.)

특정 장소의 바깥으로 "벗어나"가다의 표현은 out of를 사용합니다.

She ran <u>out of the room</u>. (그녀는 방에서 뛰쳐나갔어요.)

We should get <u>out of here</u>. (여기서 나가는게 좋겠어요.)

눈에 눈곱이 끼어있어요.

🔘 I have sleep in my eyes.

눈곱을 어떻게 말해야 될지 전혀 모르셔서 다들 그냥 눈을 가리키면서 something이라 하시더라고요. 영어의 심리에서 "눈곱"은 눈 안에 있는 잠의 흔적이란 뜻으로 간단하게 "sleep"이라 부릅니다.

 활용 예시

Do I have sleep in my eyes?
(나 눈곱 있어?)

You got sleep in your eyes. Are you sleepy?
(눈곱 껴네요. 잠와요?)

You got sleep in your right eye.
(오른쪽 눈에 눈곱이 끼었네요.)

👉 SIDE INFO

언제부터인가 원래 get의 과거형인 got이 have와 같은 의미의 동사로 쓰이기 시작했어요.

문어체: I have an appointment. (약속이 있어요.)

회화체: I got an appointment. (약속 있어요.)

문어체: I don't have an appointment. (약속이 없어요.)

회화체: I don't got an appointment. (약속 없어요.)

나 약 먹어.

- ⓧ I eat medicine.
- ⓞ I take medicine.

먹는다라는 표현이니 당연히 eat을 생각하고 다들 eat medicine이라 하시네요. 그러고 보니 실제 원어민 회화에서는 eat을 잘 사용하지 않는 것 같아요. 먹다도 보통 have를 더 많이 씁니다. "약을 먹을 때"는 "take"을 사용하시면 된답니다.

✓ 활용 예시

You should take these pills three times a day.
(이 알약들 하루에 세번 드시면 돼요.)

I should take my cold medicine after lunch.
(점심 먹고 감기약 먹어야 해.)

Oh, no, I feel so sick. What should I take?
(너무 아프다. 무슨 약을 먹어야 하지?)

👉 SIDE INFO

먹다를 표현 하실 때 eat보다 have를 사용하시면 더 원어민 같이 들린답니다.

A: What did you have for lunch? (점심 때 뭐 먹었어?)

B: I had a sandwich. (샌드위치 한 개 먹었어.)

A: What do you wanna have for dinner? (저녁은 뭐 먹고 싶어?)

B: I want some pizza. (피자 먹고 싶어.)

알고 그런거 아니에요.

> ⓧ I didn't do it knowingly.
>
> ⃝ **It was an honest mistake.**

이 표현도 많이 말하기 힘들어 하시더라고요. 생각보다 간단해요. 알면서 일부러 그런게 아니라 "진짜 정직한 실수"였다는 영어의 표현심리를 아시면 쉽습니다.

✅ 활용 예시

I swear to God it was an honest mistake.
(맹세컨데 진짜 모르고 한 거야.)

The boy made an honest mistake.
(아이가 모르고 한 짓이에요.)

I know it was an honest mistake.
(모르고 그런 거 알아요.)

👉 SIDE INFO

A: Please, tell me it was an accident, right?
(그거 그냥 우연히 일어난 사고야, 맞지?)
B: Sorry, it wasn't an accident. (미안, 내가 일부러 그런 거야.)

A: Sorry, I didn't do that on purpose. (미안, 일부러 그런 건 아니야.)
B: Never mind. Everyone makes mistakes.
(괜찮아. 누구나 실수하는 법이니까.)

실수했다는 do를 사용하지 마시고 make을 사용하시면 된답니다.
I did a mistake. (X)
I made a mistake. (O)

왜, 찔렸니?

(x) Why, are you poked?

(o) **What, did I touch your nerve?**

한국말로는 poking이 "찌름"이 맞지만, 영어의 심리로 예민한 곳이나 신경을 건드리고 찔렀다 할 때는 "신경을 건드림"에 초점을 맞추어 "touch a nerve"라 하시면 됩니다.

✓ 활용 예시

Looks like I just touched a nerve there.
(보아하니 내가 정곡을 찌른 것 같은데.)

Touch the nerve there, did I? (내가 너무 정곡을 찔렀나?)

You are walking on my last nerves. (폭발 직전이니 그만해라.)

👉 SIDE INFO

You are walking on my last nerves.

"내게 마지막 남은 정상적인 신경을 네가 밟아걷고 있다"고 경고하는 표현이 재미있지요?

"폭발 직전이니 그만해라"의 또다른 표현으로 "딱 벼랑 끝에 있으니까 그만 밀어라"고 말해도 된답니다.

I'm right on the edge, so don't push me.

좀 더 빨리 말해줘.

> ⊗ Speak quickly.
>
> ◎ **Speak faster.**

한국어 번역은 똑같이 "빨리"지만, quickly는 <u>머뭇거리지 말고 재빨리 행동하</u><u>라</u>는 말로 "Speak quickly!" 그러면 뜸들이거나 망설이지 말고 빨리 뱉어내라는 뜻이에요.

반면에 이미 말은 시작했지만 그 속도가 느려서 답답하니 "속도를 더 빨리"하자 하는 경우에는 "fast"의 비교급(comparative)인 "faster"을 사용하면 됩니다.

✓ **활용 예시**

Let's make our moves quickly.
(우리 망설이지 말고 빨리 행동으로 옮기자.)

We got no time to lose. Come, quickly!
(망설일 시간 없어. 빨리 와!)

The quicker we start moving, the faster we can finish our job.
(더 빨리 시작하면, 그만큼 더 빠른 속도로 우리 임무를 끝마칠 수 있으니까.)

We gotta run faster; the other cars are all crawling behind us.
(우리 속도 좀 더 올려야 해, 다른 차들 전부다 우리 뒤에 줄줄이 기어 오잖아.)

We better work faster than this, folks, let's speed up a bit!
(우리 이런 속도로는 망해, 이 사람들아, 좀 더 속도를 내자고!)

👉 SIDE INFO

a) 강도 100 퍼센트 – 의무(duty): 너 이거 꼭 해야만 해.

You **must** do it.

You **have to** do it.

You **have got to** do it.

You**'ve gotta** do it.

You **gotta** do it.

b) 강도 90 퍼센트 – 경고(Warning): 너 이거 안 하면 큰일 날지도 몰라.

You **had better** do it.

You**'d better** do it.

You **better** do it.

c) 50 대 50 – 조언(advice): 너 이거 해야지. 너 이거 해야 하지 않아?

You **should** do it.

재미있는 이야기 하나 해줄까?

> 🔊 You wanna hear a **funny story**?
>
> 🔊 You wanna hear a **joke**?

한국에서 영어클럽 활동을 했습니다. 하루는 주제가 telling a "joke"였어요. 그날 제 파트너분이 토종 한국 분이셔서 제가 먼저 어떻게 하는지 보여드리려고 재미있는 이야기를 하나 들려드렸습니다. 그러니까 한국인 파트너께서 "재미있네요, 그런데 '조크'를 해주셔야지요, '농담'이요." 그러시더라고요.

"joke = 농담"이라는 한국어 심리로 잘못 생각하고 계셨던 거예요. 영어의 표현심리에서 "joke"이라 함은 한국어 정의처럼 "속이고 놀리는 짧은 거짓 농담 따먹기"만이 아니라, 그냥 "짧은 웃기는 이야기"를 말하는 경우가 많답니다.

한국에서 "넌센스퀴즈"라고 부르시는 것도 "joke"랍니다.

a. 한국어심리의 농담은 이런 느낌이지요.

> "농이 지나치십니다." (과장이 지나치십니다.)
> "농담이에요, 농담, 화내지 마세요." (뻥이에요, 그냥 한번 해 본 말이에요.)
> "농담 그만하세요." (거짓말 그만하세요.)

b. 영어에서의 *joke*은 이런 느낌이랍니다.

There were a couple of muffins baked in the oven.
(오븐 안에서 컵케익 두개를 굽고 있었어요.)

They were sitting side by side on a hot tray.
(둘은 뜨거운 쟁반 위에 나란히 있었답니다.)

One muffin talked to the other, "Hey, isn't it really hot in here?"
(한 컵케익이 다른 컵케익에게 말했어요, "여기 너무 뜨겁지 않아?")

And the other muffin said, "Oh my God, it's a 'talking' muffin!"
(그러자 다른 컵케익이 말했어요, "뭐야! 말하는 컵케익이야!!")

넌센스 퀴즈예요.

(x) It's a nonsense quiz.

(o) **It's a brainteaser.**

아몬드가 죽으면?
"다이아몬드!"

한국분들 넌센스 퀴즈 정말 많이 해주시던데요. 한국어를 알아듣는 외국인들도 정말 재밌어 합니다. 하지만 한국어를 모르는 사람들에게는 안 통하지요. "알 몬드(An almond)가 죽어요(dies)? 그거랑 diamond랑 무슨 상관인데요?"라 는 반응을 보이면서 말입니다.

영어 원어민들도 비슷한 소리의 말로 말장난(pun)을 하는 것이 일상인데도 저 거는 이해를 못하니 좀 어리둥절 하기도 합니다. 다른 두 사회이다 보니 정말 매일 접하는 익숙한 표현이 아닌, 한국식 넌센스(brainteaser)는 이해 못하는 것일 수도 있겠습니다.

그럼 미국식 넌센스(brain+teaser: 두뇌+놀리기) 예를 하나 배워보겠습니다.

A: **Do you know what "geometry" is?** ("기하학(지아메트리)" 뭔지 알아?)

B: **I don't. What is it?** (몰라. 뭔데?)

A: **It's a tree!** (나무야!)

B: **How come?** (어째서?)

A: **It's "gee-I'm-a-tree!"** ("지-암-어-트리"니까! = "이런-난-나무야"니까!)

B: **Lol (= Laugh out loud)!** (ㅋㅋㅋ)

말도 안돼.

> 🔊 It doesn't make sense.
> 🔊 It's nonsense.

실제 영어로 넌센스(nonsense)라는 말은 전혀 다른 의도로 사용됩니다.

✅ 활용 예시

A: North Korea's just grown richer than South.
(북한이 막 남한보다 더 잘 살게 되었대.)
B: Nonsense! (말도 안돼!)

A: I saw the Sun rising from the West this morning!
(오늘 아침에 해가 서쪽에서 뜨는거 봤지롱.)
B: Doesn't make any sense, man. (말도 안돼, 이 친구야.)

A: I will keep drinking till I get sick of it and quit it.
(지겨워 죽을 때까지 계속 술 마셔서 술 끊을거야.)
B: What is that jibbering nonsense? (그게 무슨 말도 안되는 헛소리야?)

A: We'll be able to speak English once we're in the States,
right? (우리 미국에 가기만 하면 영어 잘 하게 될거야, 그치?)
B: Just like that, huh? That doesn't make any sense
whatsoever. (그렇게 그냥 자동으로 말이지? 말도 안되는 꿈을 꾸세요.)

왜요?

- (x) Why?
- (o) **What?**

정말 간단한 것인데 한 분의 예외 없이 모두 자연스럽게 뱉어내시는 말입니다. 누군가 불렀을 때 한국어로는 "네, 왜 그러시지요?" 하고 반응하시는 것이 맞지만 그렇다고 한국어 "왜요?"를 그대로 직역해서 "Why?"라고 반응하시면 원어민들은 당황합니다.

간단하게 아래와 같이 말씀하셔도 다 통합니다.

A: We need to talk. (얘기 좀 하자.)
B: What? What's up? (왜? 무슨 일이야?)

A: May I have your moment, Mr. Kim?
(김선생님, 잠시 뵐 수 있을까요?)
B: Yes, what is it? (네, 무슨 일이시죠?)

A: Hey. (저기요.)
B: What? (왜요?)

연설클럽, 체스클럽, 등산클럽 등 다양한 활동을 해오면서 많은 한국분들이 한국어를 한국식으로 그대로 영어로 직역하면서, 원어민이 전혀 이해를 못하고 소통이 안되는 안타까운 모습을 자주 목격했습니다.

어린 시절 많이들 읽고 만화영화로 보신 **"빨간머리 앤"** 이란 미국 클래식 소설이 있는데요. 어떤 분이 어릴 때 감명 깊게 읽은 책이라며 제목을 말씀하셨는데 처음에 말씀하신 제목을 듣고 전혀 못 알아들어 제가 우째 미국 클래식을 더 모르는가 하고 무안하더라고요. 그런데 내용을 말씀해주셔서 깨달았습니다. 제목을 전혀 다르게 번역해주셨더군요.

"Redheaded Anne" 또는 "Anne the Readhead" 와 같이 마치 당연한 듯 알고들 계시네요. 실제 원작 제목은 **"Anne of Green Gables"** 랍니다. "(녹색 또는) 파란 지붕의 앤" 정도로 번역이 됩니다.

앤이 사는 집과 가족들의 이야기가 주제이고 앤이 빨강머리(redhead)인 것은 내용과 전혀 상관이 없답니다. 이렇게 잘못 알려진 한국식 일상영어들도 제대로 하나하나 알려드리도록 하겠습니다.

배고파 죽겠어.

(x) I'm hungry to death.

(o) **I'm starving.**

배가 고파 죽겠다는 표현을 하고 싶으세요. 영어연수도 다녀오시고 어느정도 수준에 도달하신 분들은 "to death"를 많이들 사용 하십니다. 하지만, 이 표현은 hungry 같은 형용사보다는 보통 동사형에 붙여서 사용하고요, 실제로 원어민은 다른 표현을 사용합니다.

✓ 활용 예시

Kim Jong Un regime will starve the people to death.
(김정은 정권은 주민들을 다 굶겨 죽일거야.)

The poor people might starve to death.
(저 불쌍한 사람들 굶어 죽을지도 몰라.)

I'm starving. = I'm famished. = I'm so hungry.
(나 배고파 죽겠어요.)

👉 SIDE INFO

우리 **"to death"** 의 올바른 표현 예들을 좀 더 살펴볼까요?

We've been working to death. (요즘 죽을 정도로 일이 많아.)

You did what? Nah, she's gonna beat you to death.
(뭔 짓을 했어? 이런이런, 이제 집에가면 자넨 맞아 죽겠군.)

There's no way I'm giving up; I rather fight to death!
(절대 포기안해, 차라리 죽도록 한번 해볼테야!)

발목 아파 죽겠어!

(x) My ankle hurts to death!

(o) **The ankle's killing me!**

어디가 "아파서 죽겠다"를 표현할 때도 "to death"를 많이 쓰시는 모습입니다. 원어민들은 그렇게 말하지 않아요. 생각보다 간단하게 원어민처럼 표현하실 수 있답니다.

✔ 활용 예시

My wrist is killing me. (손목 아파 죽겠어.)

My back is killing me. (허리 아파 죽겠어.)

The migraine's killing me. (머리 아파 죽겠어.)

👉 SIDE INFO

두통은 간단하게 headache라고도 하지요. ache란 말을 아시면 정말 편합니다.

My back aches. (허리 아파.)

My head aches. (머리 아파.)

I have a headache. (두통이 있어요.)

I've got a stomachache. (배 아파!)

I got a toothache. (치통이 있어.)

My tooth aches. (이가 하나 아프네.)

나도 좋아.

(x) I like too.

(o) **I'm down.**

지난 몇 년 사이에 많이 들리기 시작한 말입니다. 그 전까지는 "I'm in"이라고 많이들 말했었는데요. "나도 좋아" "나도 같이해" "나 그거 원해"와 같은 의미의 표현입니다.

✓ 활용 예시

I'm down.
(나도 그렇게 할래요.)

A: Who's for a hike this weekend? (이번 주 등산 갈 사람?)
B: I'm down (= I'm in). (나도 참석.)

A: What do you wanna have for dinner? (저녁은 뭘 먹을까?)
B: I'm down for **some Mexican.** (난 멕시칸 음식 먹고 싶어.)

👉 SIDE INFO

많이 사용되는 "down" 의 또다른 다양한 사용 예들을 살펴보겠습니다.

Why are you so down? (왜 그리 기운이 없어?)

I'm down with the flu. (독감에 걸렸어요.)

I won't let you down. (실망시키지 않을게요.)

우리 결혼식 올려요.

> 🗣 We're going to have a wedding ceremony.
> 🗣 We're gonna have a wedding reception.

결혼식을 wedding ceremony라고 다들 알고 계시네요. 맞습니다. 그런데 결혼식은 보통 식을 올리는 ceremony와 식 이후에 진행되는 하객파티 즉, reception, 이렇게 둘로 구성되어 있답니다. 그러니 결혼식을 올린다 할 때 많은 사람들이 "When's the wedding reception?" 하고 물어보는데, 무슨 말인가 당황하지 마시고 그냥 "결혼식 언제냐?" 묻는구나 이해하시면 됩니다.

✅ 활용 예시

A: **We are getting married!** (우리 결혼해요!)
B: **Congrats! When's the ceremony?** (O)
B: **Congrats! When's the reception?** (O)
(축하해요! 결혼식은 언제예요?)

👉 SIDE INFO

흔히 잘못 사용하시는 전치사 두개만 소개드릴게요. 결혼한다는 marry 뒤에 누구랑 같이라는 뜻의 with를 다들 붙이시던데 잘못 사용하고 계십니다.

저기 있는 착한 신사랑 결혼해요.

(I'm going to marry that kind gentleman over there.)

(I'm gonna get married to that kind gentleman over there.)

(I'll be married to that kind gentleman over there.)

이번 방학 때 어학연수 갈거야.

> 🗩 I'll go for a language training this vacation.
> 🗩 I'm gonna go for a language training this vacation.

문법 배우실 때 미래형 시제(future tense)를 가르치면서 영어선생님께서 "will"과 "be going to"의 차이에 대해 강조하시던가요? 하나는 의지이고 다른 하나는 미리 세워둔 계획이라고 구분해야 한다고 말씀하시지요? 예, 문법상 그렇습니다. 하지만 실생활 회화에서는 그냥 둘 다 편하게 쓰시면 된답니다.

✓ 활용 예시

[미래의지: will + 동사원형]
I will **marry you.** (나 너랑 결혼할거야.)
I will **be married to you by tomorrow.** (내일 자기랑 결혼할래.)
I will **finish this project by this Friday.**
(이번 프로젝트 금요일까지 끝낼거야.)

[미래의지: be 동사 + going to + 동사원형]
I'm going to **marry you.** (나 너랑 결혼할거야.)
We're gonna **get married.** (우리 결혼할 거예요.)
We're gonna **get this done by this Friday.**
(우리 이거 금요일까지 끝냅니다.)

👉 SIDE INFO

이렇게 문법적으로만 생각하지 마시고 둘 중에 하나 아무거나 편한대로 그냥 사용하시면 됩니다. 실제 회화에서 둘 다 섞어서 사용해도 별 차이가 없습니다. 한국말 할 때 "~할 의지야" 나 "~할 계획이야" 나 둘 다 그냥 "~할거야" 라고 말씀하시듯요.

매일 아니고 이틀에 한번이요.

> (◉) **Not every day, but every other day.**

매일, 매주, 매달, 매년 등은 잘 표현 하십니다. Every만 붙이면 간단하지요. Every day, every week, every month 그리고 every year입니다. Every day는 every 1 day의 줄임말이니 이틀에 한번은 every 2 days, 사흘에 한번은 every 3 days, 그리고 나흘에 한번은 every 4 days라고 간단하게 숫자만 붙여주시면 됩니다. 그런데 원어민들이 every 2 보다 더 많이 쓰는 표현이 있습니다. 바로 "Every other"인데요. 익숙하지 않으시니 이렇게 이야기했을 때 이해하지 못하시고 당황하는 모습을 많이 보이십니다.

✓ 활용 예시

I go to the gym every other day. (나 이틀에 한번 헬스장에 가요.)

We have our meetings every other week.
(우리 모임은 2주에 한번씩 있어요.)

There are Summer and Winter Olympics, so after all, the Olympic Games happen every other year.
(하계와 동계 올림픽이 있기에, 결국 올림픽은 2년에 한번씩 열리네요.)

👉 SIDE INFO

After all: 모든 것의 뒤에는, 결국에는

We will prevail after all the hardships.
(그 모든 역경에도 불구하고 우리는 결국 승자가 될거야.)

Everything's gonna be alright after all.
(결국 다 잘 될거야.)

두더지 잡기 하러 가요.

🔊 **Let's go play the whack-a-mole.**

두더지 잡기 기계를 아시나요? 미국에서는 각 지역마다 매년 축제를 여는데요, 제가 학교를 다니며 자란 캘리포니아 OC (Orange County: 귤군)에서는 매년 OC Fair을 열어 모든 주민들이 다 같이 즐긴답니다. 여기서는 여전히 "두더지 잡기(whack-a-mole)" 게임이 인기 있어요.

✔ **활용 예시**

I love the whack-a-mole. (두더지 잡기 게임 너무 재미있어요.)

It's been years since I first played the whack-a-mole**, and I still enjoy it.** (두더지 잡기를 해본 지 벌써 수년째인데 여전히 재미있네요.)

It's been quite a long time since I last played the whack-a-mole. (두더지 잡기 안해본 지 벌써 꽤 오래 되었어요.)

WHACK!

👉 **SIDE INFO**

"두더지 잡기" 는 숙어(idiom, 관용구)로도 자주 사용됩니다.

It's like the whack-a-mole: As soon as you fix one, another appears.
(무슨 두더지 잡기도 아니고: 하나 해결되면 또 다른 문제 바로 튀어나와요.)

어디까지 말씀하셨지요?

💬 **You were saying?**

"어디까지 말씀하셨더라? 무슨 말씀하고 계셨지요? 계속 이어 말씀하세요"라는 표현은 정말 간단합니다. 그냥 "You were saying?"이라고 끝을 올려 질문하시면 됩니다.

✅ **활용 예시**

Sorry I had to take that call. And you were saying?
(미안해, 갑자기 전화가 와서. 어디까지 이야기했더라?)

I'm sorry to interrupt. Now, you were saying?
(끼어들어서 미안해요. 자, 계속 해주시겠어요?)

Had to answer the doorbell, sorry, and you were saying?
(누가 와서 현관에 좀 다녀왔어, 미안해, 무슨 얘기하고 있었지?)

미국에서의 아파트는 한국이나 유럽의 아파트와 많이 다르답니다. 의미 자체가 보통 소유가 아니라 세(rent)를 내고 빌려서 거주하는 집들이 모여 있는 단지를 모두 **apartment complex**라고 합니다. 그래서 <u>한국 기준으로는 완전 1-2층의 낮은 단독주택인데 아파트라 불러서</u> 오해가 생기기도 합니다.

Hey, I'll see you in my apartment.
(저기, 이따 우리집에서 봐.)

What an apartment! How much do you pay for it?
(집 좋다. 여기 월세 얼마야?)

The rent is twenty-five hundred per month.
(한달에 2천5백달러 (250만원 정도).)

참고로 미국에는 **전세(whole deposit)** 제도가 없습니다. 자신이 소유한 집(my own "house")이거나 아니면 전부다 월세(rent)입니다. 한국과 달리 보증금(deposit)은 고작 한달 월세와 같은데, 대신 매달 내는 월세가 한국보다 훨씬 비싼 것이 보통입니다.

내말이!

💬 **I was saying!**

대화를 하다 보면 상대방의 의견에 완전동의하실 때 "그러니까!" "그러니 말이야!" "내말이!"라며 맞장구 치시지요?

✅ 활용 예시

A: I wish the test were cancelled. (이 시험 취소되면 얼마나 좋을까?)
B: I was saying. (내말이 그 말이야.)

A: Wish we had a baby sister, bro.
(여동생이 하나 있었으면 좋을텐데, 그지 형?)
B: I was saying. (그러니까 내말이.)

👉 SIDE INFO

"**Wish**" 는 일어나지 않을지도 모르지만 그럼에도 불구하고 바람을 나타낼 때 사용합니다. 뒤따르는 절(clause)에는 과거형을 쓰셔야 하며 이때 문법상 be 동사는 무조건 "**were**" 입니다.

I **wish** it **were** the Christmas today.
(오늘이 크리스마스였다면 참 좋았을 텐데.)

Wish I **were** a girl.
(여자로 태어났어야 했어.)

Wish I **were** a little bit younger.
(좀 더 젊어졌으면 좋겠어.)

디저트 먹을 배는 있어요.

> (x) I always have belly for dessert.
>
> (o) **I always have room for dessert.**

"뭐 더 먹을 배가 있다"는 표현은 "배"라는 "belly"도, "위장"이란 "stomach"도 아닌 "공간"이란 뜻인 "room"을 사용합니다. 많은 분들이 belly를 선택하시더라고요. 비록 한국말 표현심리로 배가 belly이지만 이 말은 음식을 담는 안쪽의 내장을 뜻하는 것이 아닌 <u>밖에서 보이는 배</u>를 뜻합니다. 참고로 "똥배"는 "pop belly" 또는 그냥 "belly"라고 부르시면 되고요, "앞으로 배를 대고 엎드리는 것"도 belly를 사용해서 "lying down on one's belly"라는 표현을 사용하시면 돼.

✅ 활용 예시

Look at your belly, man, you should work out some more.
(똥배 좀 봐, 인간아, 운동 좀 더 해야겠어.)

For this yoga position, first lie down on your belly.
(이 요가 자세를 하려면요, 먼저 바닥에 엎드려 누우세요.)

👉 SIDE INFO

"아직 음식을 넣을 공간이 남았다" 는 표현을 이렇게도 합니다.
A: Ya wanna go for second round and eat more? (2차 가서 더 먹을래?)
B: Sure, I can eat. (그래, 아직 더 넣을 공간이 있네.)

반면에 "stomach" 은 이렇게 또 사용이 되네요.
(Have stomach for: ~할 생각/ 마음이 있다. 여력/ 빈공간이 있다. 받을 수 있다.)
I still have stomach for another match.
(저 아직 한번 더 붙어볼 수 있어요.)

그 반죽 펼쳐야 해.

(x) You should spread the dough.

(o) **You should stretch the dough.**

피자나 빵, 또는 면발을 반죽해서 만들 때 여러 번 주물러서 펼치고 또 펼쳐야 합니다. 그런데 한국말로 같은 "펼치다"라고 "spread"를 쓰시면 반죽을 다 "가루로 만들어 뿌려라" 하는 것과 같답니다. 그런데 <u>동사 spread 자체가 그 렇다는 것이 아니라 뒤 따르는 대상인 목적어(object)에 따라</u> 의미가 변합니다. 두 영단어 spread와 stretch는 모두 펼치다라는 의미를 가지고 있습니다. 올바른 활용법을 배워보겠습니다.

✅ 활용 예시

Stretch your wings and fly high. (X)
Spread your wings **and fly high. (O)**
(날개를 펼치고 높이 날아라.)

Stretch your arms and legs on your belly! (X)
Spread your arms and legs **on your belly! (O)**
(팔 다리 벌리고 바닥에 엎드려!)

Spread before you play. (X)
Stretch **before you play. (O)**
(경기 시작 전에 스트레칭 먼저 해.)

Who's stretching the rumor? (X)
Who's spreading the rumor? **(O)**
(이거 소문 퍼트리고 다니는게 누구야?)

바닥에 누울 때 등을 대고 똑바로 눕기도 하고 배를 대고 엎드리기도 하지요?

[Lie down] on your back. (똑바로 누우세요.)

[Lie down] on your belly. (엎드려 누우세요.)

보통 의사나 간호원들이 침대에 누우라 할 때 lie는 잘 쓰지 않습니다.

Climb on the bed. On your belly, please.

(침대에 올라가서 엎드려 누우시면 돼요.)

새해 해돋이가 기대돼요.

> ⊗ I expect the new year's sunrise.
>
> ◎ **I can't wait to see the new year's sunrise.**

"기대된다"라고 표현하고 싶으시네요. 한국말 정의로 기대하다를 expect이라고 배우셨지요? 하지만 expect은 "기대하고 예상하다"라는 의미이고요. 이 상황은 예상하는 것이 아니라 <u>"바라고 고대한다"의 의미예요. "너무 기대려진다" "빨리 왔으면 좋겠다" "못 기다리겠다"</u>라는 뉘앙스(nuance)의 표현으로는 **"can't wait"**을 사용하시면 깔끔합니다.

✅ 활용 예시

I can't wait till the final is over.
(기말고사 다 끝난 후가 정말 기대 돼.)

I can't wait to hear from you again.
(당신의 다음 소식이 너무 기대 돼요.)

I can't wait to see you again. = I can't wait till we meet again.
(우리의 다음 만남이 너무 기대 돼요.)

Too much expectation might bring you more disappointment.
(과하게 높은 예상결과는 오히려 더 큰 실망으로 돌아올 수 있습니다.)

Honestly, I was expecting more from you.
(솔직히 자네에게 더 많은 기대를 하고 있었네.)
(솔직히 자네에게서 더 좋은 결과를 예상하고 있었네.)

To be honest, I expected more.
(솔직히 결과가 더 나을 거라 예상했는데.)

"언제까지" 라는 표현으로 "till" 과 "by" 두가지를 배우셨지요? 둘의 쓰임은 좀 다른데요. 많이 혼용해서 사용하시더라고요.

"Till" 은 "until" 의 줄임말로 다음 행동이나 사건이 벌어지는 순간까지 포함을 의미합니다. 따라서 아래의 문장은 상대방이 집에 돌아올 때까지만 기다리다가 어디 가겠다는 말이 아니라, 돌아온 바로 그순간까지도 포함을 하고 있습니다.

I will be waiting for you **untill** you come back home, honey.
(집에 돌아오실 때까지 기다리고 있을게요, 내 사랑.)

반면에 "by" 는 시간한계 즉, 시한의 의미로 주로 사용됩니다. 어느 특정 시간 "전" 까지 어떠한 일이 마무리 되는 의미를 가지고 있습니다.

I'll have finished all my works **by the time** you come to see me.
(자기가 나 보러 올때까지 할 일들 전부다 끝내 놓을거야.)

오실 줄 알고 기다렸어요.

(×) I've been predicting you.

(×) I've been foreseeing you.

(◎) **I've been expecting you.**

여기서 알고 기다렸다는 말은 바로 예상하고 있었다는 말이지요. 미리알다, 예
상하다는 말로 일어나기 전에 먼저 말하다라는 뜻인 predict과 먼저 보다라는
뜻인 foresee를 배우셨습니다. 하지만 이런 경우 실제 대화에서는 expect을
사용하신답니다.

✔ 활용 예시

Dad's been expecting you, John.
(아버지는 형이 돌아올 줄 알고 기다리셨어.)

We've been all expecting you, my baby sis.
(우리 동생, 우리 모두 네가 올 줄 알고 있었어.)

👉 **SIDE INFO**

한국어에는 높임말 낮춤말의 차이가 있지요. 하지만 영어의 세계에서는 이 개념이 많이 다릅니다.

이 차이 때문에 한국분들은 영어에 존재하지 않는 높임말 표현을 찾으십니다. Hello는 높임말, hi는 낮춤말이라 배우더라고요. 하지만 둘다 똑같은 말입니다.

미국인들이 my mom and dad라고 다들 그런다고 우리 엄마랑 아빠라고 낮추어 부르는 것이 아니라 그 안에 어머니, 아버지라는 존경과 사랑이 담겨있습니다. 상대를 부를 때도 상대가 누구이건 보통 그냥 이름을 부르지요.

한국어로 번역된 것을 보면 이걸 못 받아들이다보니 자꾸 호칭을 찾으시던데요. 형제자매끼리도 영어의 심리는 그냥 이름을 부르는데 한국어심리는 형, 오빠, 누나, 언니 호칭을 꼭 붙이시지요?

한국어의 심리는 높임이 매우 중요하며 이것이 잘못 표현되면 갈등의 원인까지 됩니다. 영어에서는 오히려 나이 많은 사람은 그냥 이름 부르고 더 어린 형제자매에게 사랑을 듬뿍 담아 my little brother 또는 my baby brother이라고 소개하는 편이지요. 자꾸 younger brother, younger sister이라고 가르치는데 실은 baby나 little이란 표현을 일반적으로 사용합니다.

무엇보다 한국분들이 영어로 지인을 소개할 때 가장 많은 오해를 야기하는 것도 이 차이 때문인데요. 지인들을 한국어 심리에 따라 나이를 기준으로 brother이나 sister로 소개하시더라고요.

전부다 brother 또는 sister로 소개하시면 Again? Seriously, how many siblings you got? (또? 진짜 형제가 몇 명이야?)와 같은 반응을 경험하십니다.

영어의 심리에서는 특별한 경우를 제외하고 brother 또는 sister이란 말을 쓰는 기준이 나이가 아니기 때문입니다. 영어심리에서 형제자매(siblings)는 같은 부모를 가진 경우를 뜻하고, 4촌(1st cousin)은 같은 조부모를 가진 경우를 뜻합니다.

집중하려는데, 그냥 안 두네.

> (x) I'm trying, but you're not leaving me alone.
>
> (o) **I'm trying, but you're not helping.**

Leave me alone은 나 좀 내버려 두라는 표현으로 정말 많이 쓰이지요. 하지만 네가 날 가만 안 놔둔다고 표현하고 싶을 때 이 표현에 not을 붙여서 부정문으로 바꾸어 쓰시길래 피식 웃음이 나왔습니다. 좋습니다. 그런데 조금 갈등수위를 낮추어 주는 표현을 찾으신다면 아래와 같이 해보세요.

✅ 활용 예시

A: Focus! Focus on your work!
(일에 집중해요, 집중!)
B: I'm trying, but you are not helping.
(나는 집중을 하려는데, 자기가 그냥 놔두네.)

👉 SIDE INFO

노력 중(I'm trying)이란 표현이 나와서 유용하고 유쾌한 관련 표현 하나 알려드릴게요. 옆에서 도와달라고 해서 도와주는데 내가 그걸 너무 못하는 거예요. 그럴 땐 이렇게 자신을 변호하시면 됩니다.

A: Come on, honey, told you to help me out here, didn't I?
(봐봐, 자기야, 좀 도와달라니까 뭐 하는거야?)
B: Hon, I'm trying harder than you think.
(자기야, 지금 자기 생각보다도 더 최선을 다해 하는거란 말야.)

정말 재미있는 영화였어요.

> (x) The movie was really funny.
>
> (o) **The movie was really fun.**

많은 분들이 fun과 funny를 혼동하시네요. 단어장 속 한국어 정의는 둘 다 **"재미있다"**이지만, fun은 "즐겁게 재미있다"는 말이고 funny는 "웃기게 재미있다"는 말입니다.

[FUN vs FUNNY]

어제 정말 즐거웠어요. (**It was really fun last night.**)

그 이야기 정말 웃겼어요. (**The story was really funny.**)

어제 그일 정말 흥미로웠어요. (**It was really interesting last night.**)

그게 더 "즐겁고" 재미있네요. (**It's more "fun."**)

그게 더 "웃기고" 재미있네요. (**It's "funnier."**)

👉 SIDE INFO

미치다는 같은 뜻의 말인 crazy, insane 그리고 nuts 모두 긍정적 그리고 부정적 의미를 둘 다 내포합니다. 너무 좋아서 미치겠다고들 하지요? 웃긴다는 뜻인 funny도 긍정적 그리고 부정적 의미를 둘 다 포함한답니다.

A: My boss is a real funny man.

(우리 직장 상사 진짜 웃기는 사람이야.)

B: Funny-good or funny-bad?

(재미있다는 말이야 아님 짜증나고 어이가 없다는 말이야?)

뭣하러?

(×) Why do you do that?

(○) **What's the point doing that?**

"뭣하러 그랬는데?"를 표현하고 싶으신데 <u>"Why did you do that?"</u> 또는 <u>"What did you do that for?"</u>과 같이 많이 말씀하십니다. 한국말로 직역을 해보시면 딱 들어 맞는 것 같지만, 이 말은 <u>"왜 그랬는데?"</u>하고 불평을 표현하는 뉘앙스(nuance)가 담겨있지요. "뭐하러?" "왜 그래야 하는데?" "왜 그래야 했는데?"하고 그래야 할 필요도 소용도 없다는 의도를 표현하고 싶을 때는 "What's the point?"를 사용하시면 됩니다.

✓ 활용 예시

What's the point talking to you? (너랑 얘기해봐야 뭔 소용인데?)

What's the point taking the medicine now?
(이제 와서 그 약 먹으면 뭐 할거야?)

Ha! You're still here waiting for the signal! What was the point running that fast a minute ago, huh?
(헐! 당신도 결국 여기서 신호대기 받고 있네! 어차피 이럴 건데 방금 전에 대체 뭣하러 그리 미친듯이 달린거요?)

👉 SIDE INFO

한국에서 운전하다 보면 정말 저 마지막 말이 계속 나옵니다. 안전운전과 관련해서 가장 많이 사용하는 표현 좀 알려드릴게요.

Drive safe. (안전운전하세요.)

Don't drink and drive. (음주운전 하지 마세요.)

카센터

(x) My car is at the car center.

(o) **My car is at the garage.**

"카센타"라는 2019년 영화까지 있네요. 한국에서는 흔히들 서비스를 받기 위해 방문하는 "자동차 정비소"를 "카센터"라고 부릅니다. 하지만 정작 미국에서는 car center가 아니랍니다. 미국사람들은 "차고"란 뜻인 "garage" 또는 그냥 어디 지역 "점(店)" 또는 특정 서비스를 제공하는 "상점(商店)" 할 때의 "shop"이란 말을 씁니다.

✓ 활용 예시

I had to leave my car at the shop this morning.
(오늘 아침에 정비소에 차 맡기고 왔어.)

Darn, I forgot the appointment at the garage.
(이런, 카센터에 예약해 놓은 거 깜박했네.)

미국에서의 일상생활에 있어서 자가용은 정말 중요하답니다. 지난 1956년에 아이젠하워(Dwight D. Eisenhower) 대통령이 "Highway Act"에 서명한 이후 전국 어디건 자가용으로 다 갈 수 있게 되면서 대중교통 개발이 뒷전이 되어버렸어요.

미국, 특히 서부에서 살려면 자가용이 필수랍니다. 따라서 차와 관련된 용어를 제대로 알고 계시는 것 또한 매우 중요합니다. 일상 생활에서 차와 관련된 대화가 흔하기 때문입니다.

앞창문은 front window가 아닙니다:
"바람막이" 즉, "windshield"가 올바른 표현입니다.

핸들도 "조종하고 다룬다"는 뜻의 handle이라고 알고 계시는데 소통 안됩니다:
"방향타바퀴"라는 뜻인 "steering wheel" 또는 그냥 "wheel"이라 합니다.

백미러는 back mirror (등쪽 미러)가 아니라,
"rearview mirror (뒤쪽보기 거울)"입니다.

엑셀을 밟으세요.

(x) Press the accel.

(○) **Press the gas.**

자동차 이야기가 나와서 정말 또 많이들 혼동하시는 말 하나 더 짚고 넘어가도록 하겠습니다. 브레이크는 **brake pedal**이 맞지만, 엑셀은 accelerator (가속기)의 줄임말 accel을 쓰시면 미국인들은 이해 못한답니다. 미국에서는 gas pedal라고 합니다. 밟으면 연료를 태워서 엔진을 움직이기 때문에 그렇게 부르기 시작했습니다. 여기서 "발(ped)판"이란 말인 "페달(pedal)"은 무시하시고 그냥 brake 그리고 gas라고 하시면 됩니다.

✓ 활용 예시

Why on earth are you pressing both the brake and gas?
(아니 왜 대체 브레이크랑 엑셀을 둘 다 밟고 있는데?)

Now, softly press the gas. (자 이제 엑셀을 가볍게 밟아 봐봐.)

Stop pressing the gas. Slow down a bit.
(엑셀 좀 그만 밟아. 속도 좀 줄이라고.)

👉 SIDE INFO

요즘은 전기차(Electric Vehicle, EV)도 많이 일반화된 모습이지요? "전기"차는 brake pedal이랑 "electric" pedal이 있으며 당연히 gas pedal이라 부르지 않습니다.

Now, softly press the electric. (자, 이제 엑셀을 가볍게 밟아 볼래?)
Now, give a soft press to the electric. (이제 엑셀을 가볍게 밟아 봐.)

다시 기억하고 싶지 않아요.

> ⊗ I don't wanna remember it.
>
> ⊙ I don't wanna visit that memory again.

누구나 행복한 기억도, 즐거운 기억도, 슬픈 기억도, 그리고 부끄러운 기억도 있기 마련입니다. 여러 사람과 대화를 하다보면 나의 아픈 경험을 알지 못하는 사람이 당연히 실례를 할 수도 있겠지요. 그럴 때는 솔직하게 다시 기억하고 싶지 않은 이야기라고 말씀하시면 됩니다. 단, "기억하다"라고 배우신 "remember"이란 어휘를 사용하시는데, 이럴 때 영어의 심리는 한국말로는 이해가 좀 안되시겠지만 "다시 방문하다"인 "visit again" 또는 "revisit"을 사용합니다.

✔ **활용 예시**

That's a memory I don't really wanna visit again.
(그건 그닥 내가 다시 기억하고 싶지 않은 기억이네요.)

I'm sorry, but I don't wanna revisit that memory.
(미안하지만, 그 일은 다시 기억하고 싶지가 않아요.)

👉 SIDE INFO

방문하다, 만나다라는 뜻의 동사말인 visit은 은근히 많이 쓰이는데요. 다시 경험하고 싶지 않다는 의미로도 사용된답니다.

I was really embarrassed, and I don't wanna visit that again.
(진짜 부끄러웠다고. 그러니 다시는 그 경험하고 싶지 않아.)

It was really embarrassing, and I wouldn't wish to visit it ever again.
(진짜 부끄러웠다고. 그러니 영원히 같은 경험은 하고 싶지 않아.)

기다려, 내가 할 거야.

(x) Wait, I will do it.

(o) **Wait, I can do it myself.**

외국어를 배우다 보면 갑자기 알던 표현이 생각 안 날 때가 있습니다. 이럴 때 옆에서 알아차리고 대신 말해주려 하면 기분이 나쁘지요. 내가 꼭 기억해 내서 말해내고 싶습니다. 그래서 "내가 할 거니까 가만 있어" 라고 말하고 싶네요. 이 때 한국말을 직역해서 "I'll do it"이라 그러면 "무언가를 떠맡아 책임지겠 다"는 말처럼 들려요.

✓ 활용 예시

A: **Dangit, I know this one.** (진짜, 이거 아는 말이란 말야.)

B: **You mean...** (혹시 이거?)

A : **Hold it, I can do it myself.** (가만 좀 있어, 내가 (말)할 거야.)

👉 SIDE INFO

Hold! (기다려!)

Hold it. (그거 잡고 있어 = 잠깐 대기.)

Hold your horses. (당신들 말 꼭 잡고 있어요 = 좀만 기다려요.)

Hold on. (계속 조금만 더 기다려요.)

Hold on tight. (꽉 붙잡고 매달려 있어요 = 조금만 더 꾹 참아요.)

Hang on. (꼭 매달려 있어요 = 꾹 참아내세요.)

Hang on a sec. (1초(a second)만 매달려 있어요 = 잠깐만 기다려요.)

Yeah, I will hold. (전화통화대기 등의 상황: 알았어요, 기다릴게요.)

기다려줘서 고마워요.

- (x) Thank you for waiting for me.
- (o) **Thank you for being patient with me.**

"고객님, 기다려 주셔서 감사합니다"와 같은 표현 많이 들으시죠? 미국에서도 "Thank you for holding; your call is important to us"와 같은 표현을 전화서비스 상황에서 자주 듣습니다. 이런 hold와 같은 표현이 있고요, 내가 잠시 화장실에 간 사이에 친구가 밖에서 기다려 주면 "Thank you for waiting"이라고 하시면 돼요. 하지만 또다른 기다림이 있지요. 인내(patience)를 요구하는 경우입니다.

✅ **활용 예시**

A: Ah! I remembered it! That! (아! 맞다, 기억났다! 그거!)
B: Finally! Way to go, man! (드디어! 좋았어, 이 친구야!)
A: Thank you for being patient with me, **pal.**
(기다려 줘서 고마워, 친구.)

A: I understand you don't wanna revisit that hurtful feeling.
(그 아픈 상처 다시는 느끼고 싶지 않아서 그러는 거 이해해요.)
B: I'm sorry for making you wait this long.
(이렇게 계속 기다리게 해서 미안해요.)
A: Take as much time as you need. **I'll wait as long as I have to.** (필요한만큼 시간 가지고 천천히 말해줘요. 아무리 오래 걸려도 기다릴게요.)

👉 SIDE INFO

진짜 미안할 때 이렇게 사과하면 상대방이 피식 웃으면서 사과 받아줄 거예요.

I'm as sorry as I can possibly be. (정말 내가 미안할 수 있는 최대로 미안해.)

I'm more than usually certain that I'm very, VERY sorry.

(평소보다 진짜 훨씬 더 확신이 드는데 나 정말, 정말, 즈엉말 미안해.)

천천히 해요.

(x) Do it slowly.

(o) **Take your time.**

친구가 기한까지 해주기로 한 것을 못 해주어 너무 미안해하면서 정신없이 급하게 무언가 하는 모습이에요. 괜히 마음이 좋지 않네요. 그래서 배려(being considerate)하는 마음으로 "괜찮아, 천천히 해"라고 말해주고 싶은데요. 그런데 이 한국말을 직역하셔서 **"Do it slowly"**라고 하시면 **"천천히 좀 해"**와 같은 명령이 되어버린답니다.

✔ 활용 예시

It's okay. Take your time. (괜찮아, 천천히 해.)

You can take your time. (천천히 해도 괜찮아.)

A: Ya waiting for me? Sorry, I'll finish it soon.
(기다리는 거야? 미안, 금방 다 먹을게.)
B: Nah, take your time. (아냐, 천천히 먹어.)

👉 SIDE INFO

원어민들이 ya라는 말을 많이 하는데요. You를 ya와 같이 많이들 소리내는 편입니다. 문법상 꼭 있어야 한다고 배운 be 동사(be verb)도 실제 대화에서는 많이 무시하는 편이지요. 당황하지 마시고 그냥 회화식 표현이구나 하시면 됩니다.

How are ya? (How are you?)

How ya doing? (How are you doing?)

Ya alright? (Are you all right?)

속옷도 좀 챙겨요.

- ⊗ Pack some inner clothes, too.
- ◎ **Pack some underwear, too.**

한국에서 잘못 알고 있는 표현 중 또 하나가 속옷입니다. 많이들 inner clothes라고 하시는데요. 겉옷 "아래에 입는다"는 심리로 "underwear"이라 하시면 됩니다. 이 말은 셀 수 없는 명사(uncountable noun)이기에 끝에 s를 붙이지 않습니다.

✓ 활용 예시

It's freezing outside; don't forget to double your underwear.
(바깥 진짜 추워. 속옷 두겹으로 껴입어.)

I need to go shopping for more underwear.
(나 속옷 좀 더 사러 가야해.)

We might stay here up for a week; hope you brought some extra underwear.
(우리 여기서 한주 내내 있을 수도 있대. 속옷 충분히 챙겨왔지?)

👉 SIDE INFO

한국에서는 남성 여성 구분 없이 "팬티"라고 하지요? 하지만 영어에서는 성별 구분이 있답니다.

Boys wear "underwear." (남자들 팬티는 "underwear" 이라 합니다.)

Only ladies put on "panties." (여성 팬티만 영어로도 "panties" 라고 합니다.)

남성에게 "panties" 챙기라고 하면 굉장한 실례가 되겠지요?

이제 사위가 하나 생겼어요.

> 🗩 We just got a new son.

영어 표현을 보니 아들을 낳았거나 입양(adoption)을 했을 수도 있겠네요. 한국어로 "사위"라고 번역하고 가르치는 "son-in-law"라는 말은 영어 언어 심리에서는 "법적인 아들"이라는 뜻이랍니다. 아들(son)인데 말 그대로 법적(in-law)인 아들이라는 말입니다.

I think he'll marry their daughter, and they get a new "son" in law.

(저 사람 저 부부 딸이랑 결혼할 것 같은데. 그럼 저 부부 새 "사위"가 하나 생기는 거네.)
(저 사람 저 부부 딸이랑 결혼할 것 같은데. 그럼 저 부부 새 "아들"이 하나 생기는 거네.)

두 번역이 차이가 크지요? 영어의 심리는 두번째 번역이 맞습니다.

A: Hon, why don't you take my mom to the hospital tomorrow morning?

(자기야, 내일 아침에 우리 엄마 병원 좀 데리고 갈래?)
(자기야, 내일 아침에 우리 엄마 병원 데리고 가지 못할 이유 없지?)

B: 'Cause she's your mother?

(자기 엄마잖아.)
(자기의 엄마니까? [자기가 모시고 가야지.])

A: She's now your mother too!

(이제 자기 "장모님"이잖아!)
(이제 자기의 "엄마"이기도 하잖아!)

한국어를 영어로 직역하면 소통이 잘 안된다 했는데, 반대로 영어를 한국어로 직역을 해도 이해를 잘 못하시겠지요? "왜 내 엄마야, 내 장모님이지 않나?"그러실테니까요.

혼인신고를 통해 법적으로 맺어진 사돈집 가족들은 모두 "in law" 만 붙이시면 됩니다.

He's my new brother [in law].

She's my new sister [in law].

He's my new father [in law].

FYI (For Your Info[rmation], 참고로), 내 "사돈댁 식구들" 도 그냥 간단하게 my "in-laws" 라고 하시면 됩니다.

여기가 어디지?

ⓧ Where is this?

ⓞ **Where am I?**

원어민들이 듣고 또 많이 당황하는 말이 "여긴 어디?"라는 한국말을 직역한 "Where's this?"입니다. 영어의 심리로는 "내가 있는 이곳이 어디인가?" 즉, "내가 어디에 있는거지?"라고 말씀하셔야 올바른 표현입니다.

"Where is this?"라고 해도 "여기가 어디야?"로 알아듣지 않느냐 질문을 주시던데, 한국어로 직역하면 이 표현이 딱이지요? 그런데 한국어로는 "여기가 어디야?"이지만 영어로는 "(사진이나 TV 등에서 지금 내가 보고 있는) '이 장소'는 어디에 있지?"라는 뜻과 같습니다.

✅ 활용 예시

A: What is this place in the picture?
(이 사진 안에 있는 이곳 뭐하는 곳이야?)

B: It's the famous "Central Park."
(그 유명한 "센트럴 파크"라는 곳이지.)

A: Where is this?
(이게 어디 있는데?)

B: In the center of Manhattan, New York City
(뉴욕시 맨하탄 한 가운데에 있어.)

A: And where are we now?
(그럼 [지금 우리가 있는 곳] 여긴 어딘데?)

B: We're in Brooklin now.
(여긴 브루클린이야.)

주민등록번호 입력하세요.

> ⊗ You should put your RRN in the blank.
>
> ◎ **You should put your SSN in the blank.**

한국에서는 내국인 "주민등록번호"라고 해서 RRN (Resident Registration Number)이라고 안내를 하더라고요. 외국인은 처음에 오면 발급받는 것이 "외국인등록번호"라고 FRN (Foreign Resident Number)이라고 한국어를 그대로 번역해서 사용합니다. 하지만 미국에 오시면 내국인 뿐만 아니라 외국인이라도 H1 근로비자 이상을 소유한 사람들은 모두 주민등록번호를 발급받을 수 있는데요, 이 때 RRN이라 하시면 아무도 못 알아듣습니다. SSN (Social Security Number)입니다. 굳이 번역을 하자면 "사회보장번호(Social Security Number)" 정도로 직장생활 등 사회생활을 보장 받을 수 있는 개인 신원번호입니다. 즉, 미국판 주민등록번호라 생각하시면 되겠습니다.

✅ 활용 예시

A: Wow, I got my SSN in the States without the citizenship!

(와, 시민권 없어도 미국에서 주민등록번호를 받을 수 있었네요!)

B: Sure, since you were legally hired, they'd get you one.

(그럼요, 합법적으로 고용되셨으니 받으실 수 있지요.)

A: Should I fill out all the blanks? (빈 칸 모두 채워서 작성해야 하나요?)

B: Just fill in the first two blanks. The first one's for your SSN, and the second your full name.

(그냥 처음 두 칸만요. 첫 칸이 주민등록번호, 그리고 둘째가 공식등록된 성함이에요.)

A: Ah, thank you. (그렇군요, 감사해요.)

B: You bet. (당연히 도와드려야지요.)

썰렁해요.

(x) It's cold.

(o) **It's lame.**

웃기는 이야기를 해주었는데 재미가 없어요. 그럴 때 한국말로 "썰렁하다"고 하시지요? 하지만 그대로 직역해서 cold라고 하면 춥다, 차갑다 또는 냉정하다는 뜻이 돼요. "이야기가 재미없어서 썰렁하다"를 영어의 표현심리로 말하고 싶으시면 "다리를 절뚝거린다"는 뜻인 "lame"을 쓰시면 된답니다.

✓ 활용 예시

A: Wasn't it funny? (재미있지 않아요?)
B: Nah, that was lame. (아니, 썰렁했어.)

A: Wait, am I supposed to laugh? (미안, 지금 웃으라고 그런거야?)
B: Sorry, that must have been lame. (미안, 썰렁했나보네.)

A: It was lame. **Mea Culpa.** (썰렁했지요? 죄송해요.)
D: Nono, it was funny. (아니에요, 재미있었어요.)

👉 SIDE INFO

한국어에도 외래어가 참 많지요? 영어도 마찬가지랍니다.

미안하다는 표현을 라틴어인 mea culpa (메아 커파: my fault, 내 잘못) 또는 스페인어로 lo siento (로 시엔또: it, I feel, 그건 내가 느껴요)라고들 많이 하는데요.

누군가 이렇게 사과를 해도 이제는 "네?" 그러고 당황하지 않으실 수 있지요?

불쌍하네요.

(x) You are poor.

(o) **I feel for you.**

I feel이란 말은 느끼다, 감정을 가지다, 연민을 가지다라는 등 여러가지 감정의 느낌이 될 수 있겠지요. "너 참 안된 거 같아" "불쌍해"와 같은 상대에 대한 연민을 표현하실 때는 간단하게 전치사(preposition) for을 붙이셔서 "I feel for you"라고 하시면 완벽합니다. <u>상대의 처지에 대해 "공감(compassion, sympathy)"</u>을 느낀다는 말이지요.

그런데 "당신 참 불쌍해요"라는 한국어 표현을 직역해서 <u>"You're so poor"</u>이라고 하시면 "당신 참 가난해요"란 의미가 되어버리니 주의하세요. 감탄사 표현 또는 그와 비슷하게 "이런 불쌍한 것(You poor thing)!"과 같이 사용될 뿐, poor이란 형용사는 <u>질이나 수준이 낮음을 말할 때 더 흔히 사용</u>합니다.

✔ 활용 예시

I feel for **him.**
(저 사람 참 안되었다.)

I feel for **them.**
(저 사람들 참 불쌍해.)

We feel for **you.**
(우리 당신을 공감하고 있어요.)

👉 SIDE INFO

"감정을 가졌다"는 "have feeling"을 사용하시면 호감이나 사랑의 감정을 가졌다는 표현이랍니다.

I have feelings for you. (나 당신에게서 매력을 느껴요.)

I think I have feelings for him. (나 저 사람을 좋아하는 거 같아.)

표현 046

시간이 너무 오래 걸리네요.

> ✗ You spend too much time.
>
> ○ **It takes forever.**

누군가에게 작업을 맡겼더니 하루종일 걸리네요. 일하는 시간이 너무 오래 걸린다를 한국어로 그대로 옮기면서 spend too much time이라 하시는 분들을 많이 보았어요. "당신 그거에 시간을 너무 많이 허비한다"로 한국어와 같은 뜻인 듯 들리지만 영어로는 그 의미가 "그거 너무 자주 한다, 그만 좀 해라"와 같답니다.

무언가를 얼마나 자주 하느냐가 아니라 <u>어떠한 움직임이나 행동에 "시간이 얼마나 길게 걸리느냐"</u>를 표현하실 때는 동사 take을 사용하시면 됩니다.

✅ 활용 예시

A: It's still gonna take another hour. (한 시간은 더 걸리겠는데요.)

B: What takes so long? (뭐가 이리 오래 걸리나요?)

A: How long does it take to get to the mart? (마트까지 얼마나 걸리죠?)

B: It only takes about 10 minutes from here.

(여기서 10분 정도 밖에 안 걸려요.)

A: What took you so long? (왜 이제 왔어요?)

B: Sorry, there was an accident on the way here.

(미안해요, 오는 길에 사고가 있었어요.)

A: Oh my God, are you alright? (어머, 다친데는 없으세요?)

B: I'm alright. I was just busy watching it.

(전 괜찮아요. 그 사고 구경하느라 정신이 없었을 뿐이에요.)

직감이에요.

ⓧ It was my instinct.

ⓞ **It was my hunch.**

자연적으로 누구나 타고난 감각을 "본능적인 직감"이라 하지요? 이 정의의 단어는 "instinct"라고 배우시네요. 맞는 말인데요, 같은 직감이란 뜻의 어휘로 "hunch"라는 말이 또 있습니다.

이 같은 의미의 두 어휘 사이에는 뚜렷한 차이가 있는데요, <u>instinct가 사람이든 짐승이든 누구나 자연적으로 갖게 되는 본능적 느낌</u>이라면 "hunch"는 <u>끝없이 반복된 학습이나 경험을 통해 자신의 자연적인 본능과 같이 전문적이 되는 것으로 짐승이 아닌 "인간만이 갖는 것"</u>이랍니다.

Animals can't have hunches but only Humans can, while animals can have instincts.
(이 헌치라 하는 것은 짐승들은 안되고 인간만이 가질 수 있는 것이지요, 반면에 짐승들도 본능적 직감은 가지고 있지만 말입니다.)

A: **How did you know he'd show up?**
(그가 나타날 것을 어떻게 아신 거지요?)
B: **A hunch?** (직감이라 할까?)

A: **I'm home, hon, I missed you so much.**
(다녀왔어, 자기야, 정말 보고 싶었어.)
B: **Why would you come back so early, honey?**
(자기, 왜 이렇게 일찍 돌아왔어?)
A: **Dunno, maybe a survival instinct?**
(글쎄, 타고난 생존본능이라 할까?)
B: **I love you so much.** (정말 사랑할 수밖에 없다니까.)

쥐가 났어요.

(x) I have a mouse.

(○) **I have a cramp.**

등산을 하다가 지인이 많이 아파하길래 무슨 일이냐 묻으니까 "I have a mouse on my leg"라고 하시네요. 그런데 다리에 쥐는 없더라고요. 상황을 보니 "근육경련(muscle cramp)"을 뜻하는 거였답니다.

✓ 활용 예시

A: Dangit, it really hurts!
(아아, 진짜 아파!)
B: What? What's going on?
(왜? 무슨 일이에요?)
A: I think I got a cramp on my leg.
(다리에 쥐가 난 거 같아요.)

👉 SIDE INFO

원어민들이 자기도 모르게 "댕잇(dangit)!" 이라는 걸 들어보신 적 있으세요? 이 말은 May God damn it (신이 저거 저주해 주시길 (= dammit))의 줄임말로써 고통이나 부정적인 감정을 자기도 모르게 습관적으로 표출해 내는 말이에요.

비슷한 증상으로 크램프(cramp) 말고도 손의 신경과 근육이 지속적으로 눌려서 통증이 생기는 "carpal tunnel (칼펄 터널)" 이란 것도 있습니다. 누군가 이렇게 말하면 "쉬지 않고 손을 계속 써서 손이 아픈가 보다" 생각하시고 알맞게 반응해 주시면 됩니다.

아, 차가워, 머리야!

- ✗ Cold headache!
- ⊙ **Brain freeze!**

아이스크림(ice cream) 같이 차가운 걸 갑자기 삼키고 머리 아픈 고통을 경험해보셨나요? 아이들이 특히 많이들 겪는 일이지요. "차가운 거 삼켜서 두통이 왔다"고 아주 귀엽게 cold headache!이라고 하는 것을 들어봤는데요, 이럴 때는 간단하게 "뇌가 얼어"를 영어로 옮겨서 "brain freeze"라고 하시면 된답니다.

✔ 활용 예시

A: Brain freeze! Brain freeze!
(아, 차가워! 머리, 머리!)
B: Slow it down.
(천천히 좀 먹어.)

ICE POP!!!

👉 SIDE INFO

오랫동안 앉아 있다가 갑자기 일어서면 머리가 어지러울 때가 있습니다. 의외로 많이들 경험하시는데, 이런 현상은 갑자기 몸이 쫙 펴지면서 두뇌에 있던 피가 온몸으로 갑자기 퍼져 나가면서 일어나는 현상이랍니다. 피가 다시 두뇌로 돌아오면 바로 괜찮아지지요. 이런 증상을 "head rush (머리 피가 갑자기 달려나간다)" 라고 합니다.

I got a head rush from standing up too fast.
(너무 갑자기 일어나서 머리가 띵해.)

콘센트 찾아요.

(x) I need a consent.

(o) **I need a power outlet.**

플러그(plug)를 꽂아야 하는데 콘센트가 안보이네요. 혼자서 찾을 수가 없어 도움을 요청하는데 "콘센트(consent)가 필요하다"고 아무리 이야기해도 고개만 갸우뚱 하세요. <u>전력(power)을 함께(con) 내보낸다(sent)고 누군가 consent라고 부르기 시작했는가 보지만</u>, 현지에서 "con(모아서) sent(보내져)"는 "전원 동의" 또는 "합의"라는 뜻으로 쓰이고요, "전력을 내보내는 콘센트"는 "power outlet" 또는 그냥 간단하게 "outlet"이라고 하시면 됩니다.

✔ 활용 예시

Where's the power outlet, please? (콘센트가 필요한데 어디에 있을까요?)

I need to plug in my laptop; just an outlet will do.
(제가 노트북 플러그를 꽂아야 하는데, 콘센트 하나면 되겠어요.)

I need a power outlet; any multi-tap will be fine as well.
(콘센트가 하나 필요하네요, 멀티탭도 괜찮고요.)

👉 SIDE INFO

아울렛이란 말은 한국에서도 많이들 쓰시지요? 그런데 "outlet mall (아울렛 몰)" 을 말씀들 하시는 것이지요. 저렴한 도매 의류가 편리하게 판매되어 나갈 수 있도록 만든 몰도 영어로 outlet이라 부르시면 됩니다.

I'm going to a nearby outlet to pick up some pants.
(바지 좀 사러 근처 아울렛 갈거야.)

정말 알찬 하루였어요.

- (x) It was a very full day.
- (o) **It was a very productive day.**

정말이지 알찬 하루를 보내셨나봐요. "하루가 정말 꽉 찼었다" 말하고 싶어서 한국말 그대로 full이란 형용사를 사용하세요. 여기서 "a full day"는 "온종일 내내(the whole day)"란 뉘앙스가 더 강하네요. 대신 영어의 표현심리로 "알차고 생산적"이었다는 말인 "productive"를 사용해 보세요.

 활용 예시

I had a productive **day.** (알찬 하루였어요.)

It was a very productive **meeting.** (정말 알찬 회의였어요.)

Let's have some productive **time together.**
(우리 알찬 시간 한번 가져봐요.)

 SIDE INFO

배가 너무 부르네요.

I'm so full.

I can't eat anymore.

I don't think I can have another bite.

I don't think I can put another piece in my mouth.

I got no more room left to have another bite.

안 넘어가요.

(x) I don't believe it.

(o) **I don't buy it.**

친구가 절 골탕 먹이려고 내일 학교에 안 와도 된다고 하네요. 그냥 평일인데 요. 하하, 제가 속을 줄 알았죠? 그런데 이때 "나는 그 말을 믿지 않는다"고 "I don't believe it"이라 말을 하면 뭔가 느낌이 좀 이상해요, "우와, 진짜?"하 고 넘어간 사람의 반응처럼 들린다 할까요? 이럴 때는 <u>나한테 그걸 팔려고 아 무리 과장을 해도 난 그거 사지 않을 것이다</u> 즉, **"믿지 않는다"는 뜻**으로 "I don't buy it"이라 하시면 정말 자연스런 원어민다운 반응입니다.

✔ 활용 예시

I'm not gonna buy **that crap.** (그런 개똥 같은 거 안 믿어.)

I'm not buying **it.** (그거 절대 안 믿어.)

You thought I'd buy **that crap? Nice try.**
(그런 말도 안되는 걸 믿을 줄 알았어? 헛수고야.)

👉 SIDE INFO

정말 믿을 수가 없어요. (나쁜 소식에 대한 반응)

It cannot be happening. (= It can't be.)

It doesn't make sense!

How could this happen to me?

I don't believe it!

정말이에요? (좋은 소식에 대한 반응)

I don't believe it!

It's crazy!

표현 053

계산해보지 말아요.

> (×) Don't calculate.
> (○) **Don't do the math.**

누군가에게 실수로 제가 몇 년생인지 알려줘 버렸어요. 바로 나이를 계산해 보네요. "아, 진짜, 그거 계산해보지 말아요"라고 말하고 싶은데 "계산하다"는 동사로 "calculate"을 배우셨다고 "Don't calculate"이라 그러시면 재어보고 계산적이지 말라는 무례한 뜻이 되어버린답니다. 이럴 때는 "do the math"라는 표현을 활용해 보세요.

✓ 활용 예시

A: Wait, so you were born in 1982?
(어, 그러니까 1982년생이시네요?)
B: Please, don't do the math, alright?
(그거 계산해 보고 그러지 마세요, 네?)

Dad: We're cleaning up this mess before mom's back home by 7. (아빠: 엄마 집에 오기 전에 7시까지 우리 이거 다 치워야 해.)
Son: It's already 6:30. Now you do the math, dad.
(아들: 벌써 6시반인데요. 아빠 생각 좀 해봐요.)

👉 SIDE INFO

보통 be 동사 + 동사—ing형은 진행형(progressive)으로 배우시지요? 그런데 진행의 의미 말고도 100 퍼센트 꼭 일어나게 될 것이라는 미래의 표현도 된답니다.

I'm reading a book later in the evening. (이따 저녁 때 책 읽을 거예요.)
I'm having a dinner with my fiancée this evening.
(오늘저녁에 약혼녀랑 저녁 먹을 거예요.)

표현 054

걔네 방금 갔어.

Ⓧ They just went.

Ⓞ **They just left.**

누군가 저희에게 오더니 방금까지 함께 있던 친구들에 대해 묻네요. "방금 떠났다"고 말을 해주어야 하는데 they went라고 정말 많이들 쓰시더라고요. 한국어 표현심리로는 "갔다, 이미 가버렸다"와 같이 말하는 것이 편하지만, 영어의 표현심리는 "떠났다"가 더 익숙하다고 하네요. 따라서 "They left"가 올바른 표현입니다.

✔ 활용 예시

A: **Where's Yuri?** (유리씨 어디계세요?)
B: **She just left.** (유리씨 방금 나가셨어요.)

A: **Is Mr. Brown still in the office?**
(브라운 선생님 아직 사무실에 계시나요?)
B: **I'm afraid he's already left.** (저런, 벌써 나가셨어요.)

👉 SIDE INFO

"너무 늦었어요" 란 표현을 배워볼게요.

It's too late. (= It is too late.)

The ship's already sailed. (= The ship has already sailed.)

Elvis has left the building.

그만하세요, 부끄럽네요.

(x) Stop it; you're ashaming me.

(o) **Stop it; you're embarrassing me.**

좋은 일이 있었어요. 옆에서 너무 잘 했다고 칭찬하시네요. 이런 좋은 일에 대한 반응으로 "아이, 부끄럽습니다"라고 하고 싶으실 때는 <u>부끄럽게 하다, 창피하게 하다</u>는 뜻인 embarrass라는 단어를 사용하시면 됩니다.

✔ 활용 예시

A: **What a great work, Mr. Kim!** (김 선생님, 정말 대단하시네요!)

B: **Thank you; I really appreciate it.** (정말 감사드려요.)

A: **You are the best!** (정말 최고예요!)

B: **Please, you're embarrassing me.** (그만하세요~ 부끄럽게 왜 그러세요?)

👍 SIDE INFO

부정적일 때는 둘 다 사용하실 수 있답니다.

What, are you ashamed of me? (나 때문에 창피해?)

What, are you embarrassed of me? (왜, 내가 창피해?)

Cut that out; you're embarrassing me! (그만 좀 해, 쪽팔린다고!)

대박이네요!

(x) That's a big melon!

(o) **That's awesome!**

제가 한국분들과 대화 중에 문자에서 KKK를 본 것을 제외하고 가장 당황한 기억이기도 합니다. Melon은 보통 동성애자(homo-sexual, gay)나 비슷한 행동을 흉내내는 사람들을 모욕하는 의도의 나쁜 말입니다. 대신에 상황에 따라 "great" "awesome" 또는 "놀랍다"거나 "좋아 미치겠다"라는 긍정의 표현과 동시에 부정적인 표현이기도 한 "crazy" "insane" 또는 "OMG (Oh my God)!" 정도가 올바른 표현입니다.

✓ 활용 예시

A: The board just approved a raise for every single one of our employees!
(이사회에서 방금 직원들 전부다 봉급 인상한다는 안을 통과시켰대!)

B: Really? That's insane!! xD
(진짜? 좋아 미친다요!! ^0^)

👉 SIDE INFO

방금 한국의 ^0^ 같은 표현을 미국에서는 <u>눈이 x가 되어 입을 D와 같이 크게 벌리고 웃는 모양</u>으로 표현하는 예를 보셨습니다. 문자나 이메일 또는 유튜브 댓글을 보다가 한국분들이 재미있다고 KKK(ㅋㅋㅋ)를 날려주셔서 당황하는 원어민들 모습을 많이 보게 됩니다. 한국에 오래 살거나 한국어를 좀 이해하는 사람들은 괜찮은데, 그런 사람보다 한국어를 전혀 이해 못하는 사람이 이 세계에는 훨씬 더 많은 것이 현실이지요. 특히 미국 원어민들에게 KKK는 <u>반흑인 집단인종차별주의 단체 (Ku Klux Klan, KKK)</u>를 뜻하며 사회적으로 taboo가 되어온 말입니다. 재미있다고 ㅋㅋㅋ를 보내는 대신 <u>lol (laugh out loud)</u>를 날려주세요. 영어의 ㅋㅋㅋ입니다 :)

철 좀 드세요.

(x) Eat some steel!

(o) **Grow up!**

이번 표현은 모국어의 의미부터 잘못 알고 계시는 경우입니다. **"철 좀 들어라"**는 말은 광산의 철을 말하는게 아니지요. 제 철의 과일이 최고라고 합니다. 자연적인 제 철에 나는 과일이 몸에도 제일 좋다는 것이지요. 순리, 즉 **"자연적인 나이에 걸맞은 행동 또는 나이 값 해라"**는 말이 바로 "철 좀 들어라"는 말입니다. 제 철이 들다라고 <u>"Fit in the right season"</u>은 아니고요, 영어로는 간단하게 "Grow up" 또는 "Behave yourself"라고 하시면 된답니다.

✓ 활용 예시

A: I wanna blow those balloons for fun!
(저기 풍선들 터뜨리면 진짜 재미있겠어!)
B: How old are you? Grow up, will ya?
(초딩이냐? 철 좀 드세요, 제발!)

You are not a child anymore, so behave yourself.
(이제 어린아이 아니잖아, 그러니까 이제 철 좀 들자.)

👉 SIDE INFO

Behave oneself라는 말은 어른이고 어린이고 상대를 가리지 않고 사용할 수 있습니다.

Let's behave ourselves, otherwise we might get in trouble.
(우리 처신 잘하자, 아님 힘든 일이 생길 수도 있으니까.)

뭘, 그 정도야 기본이지.

(x) It's basic.

(o) **It's nothing.**

누군가 어려움에 처해있는 아이를 보고는 급하게 도움의 손길을 내밉니다. "Thank you so much"라며 감사의 인사를 거듭하자 당연하다는 듯이 "그 정도야 기본이지요"라고 인사를 하네요. "No, it's just basic"이라 말씀하셨습니다. 감사와 존경이 한가득이던 상대방의 눈빛이 의아함으로 변해버렸네요.

기본이라는 한국어심리는 영어심리로 바꾸어 보면 이렇습니다.

뭘, 그 정도야 당연한 기본 중 기본이지요. 전혀 큰일 아녜요.
It's nothing.

이런거야 당연히 도와줘야지, 그렇지 않아? 내기할래?
You bet!

👉 SIDE INFO

공공장소(a public place)에서 다른 이들에 대한 배려도 없이 이기적인 행동을 하는 모습을 질책하시거나 옆에 있는 아이에게 저러면 안된다고 알려주고 싶으세요. 그때는 형용사 "basic"을 사용하시면 되겠습니다.

It's a basic manner, like the Sun rises in the East.
(그건 당연한 예의인 거야, 기본이야 기본.)
It's a basic etiquette, like one plus one is two.
(그건 당연한 에티켓이야, 정말 기본적인 거란다.)

표현
059

그 정도야 기본이지.

- ⓧ It's just basic.
- ⓧ It's just the base.

동료가 뭔가를 참 잘해요. 어려운 수학문제를 잘 풀거나, 요리를 잘하거나, 아니면 아는게 참 많아요. 그래서 멋지다고 칭찬을 해주니 "그 정도야 기본이지, 뭘"하고 머쓱해 하네요.

> **A: Man, you know so much! Awesome!** (우와, 너 진짜 많이 안다. 멋진데!)
> **B: Nono, it's ~~basic~~.** (아냐 아냐, 기본이지.)
> **A: Sorry, come again?** (엉? 뭐라고?)

영어의 표현심리로는 아래와 같이 말씀해주시면 된답니다.

> **It's nothing. I've been reading tons of books, you know.**
> (별거 아니야. 그냥, 관련 책을 많이 읽어왔으니까.)

> **A: Wow, you're a math genius!** (우와, 넌 진짜 수학 천재인거 같아!)
> **B: No, it was just a lucky guess.** (아냐, 그냥 운이 좋지 내가.)

> **A: I tip my hat to the chef.** (네 요리 정말 최고야.)
> **B: Nah, it's just I've been cooking for years. You can do it too. Just give it some time.** (아냐, 요리 경험이 기니까. 너도 할 수 있어. 연습하면 다 돼.)

☞ SIDE INFO

미국에서는 초중고 그리고 대학 교육에서 모두 가장 기초 수업을 101이라 부릅니다. 예를 들어 사회학개론은 Social Studies 101입니다. 그래서 어떤 특정한 분야의 지식이나 기술의 기본이다라는 말은 뒤에 무조건 101 (원오원)을 붙여서 말한답니다.

It's cooking 101, man. (요리의 기본이지, 이 친구야.)
It's politics 101. (그거야 정치의 기초 상식이지.)

정신 좀 차려요.

- ⓧ Set your spirit.
- ⓞ **Wake up.**

동료가 어제 과음을 했는지 회의 중에 정신을 못 차리네요. 옆에서 옆구리를 찌르면서 정신을 좀 차릴 수 있게 한마디 해줍니다. "정신 좀 차려, 이 친구야." 그런데 "우리 조상들의 얼과 정신(spirit)을 차려 가지라"는 말을 한국식 심리 그대로 하네요.

저 정도 영어가 바로 나온다는 말은 영어를 오랫동안 해오셨고 자신도 있으세요. 하지만 안타깝게도 한국어를 못 알아듣는 원어민과는 소통이 되지 않습니다. 영어는 진짜 간단합니다. 정신을 못 차리고 꿈을 꾸고 있으니 "잠 좀 깨!"라고 하시는 겁니다.

✔ 활용 예시

What are you doing? Wake up!
(뭘 하는 거야? 정신 좀 차려!)

Wake up! **Pull yourself together, man.**
(정신차려! 기운 좀 내라고, 이 친구야.)

👉 SIDE INFO

어떤 말이나 음악이 너무 마음에 드세요. 귀에 착착 달라붙습니다. 그런데 영어라는 언어심리에게는 그 소리가 내 귀에 달라 붙는게 아니라 내 귀가 그 소리를 잡는 것입니다.

The song's really catchy. (노래가 귀에 착착 달라붙네요.)

태도가 마음에 안 드네요.

(x) I don't like your attitude.

(o) I don't like your tone.

아이가 아빠한테 버릇없이 구네요. 말도 안 듣고 어디서 배웠는지 막말을 합니다. "아빠는 너의 태도가 마음에 안 들어"라고 말씀을 주고 싶으세요. 이런 일은 사회생활을 하다가도 종종 일어나는 일입니다. 누구나 살다 보면 힘든 일도 있고 내가 손님인데도 아니면 소중한 동료이고 가족인데도 불구하고 불쾌한 태도를 보여요. 하지만 나도 사람입니다. 기분이 좋을리가 없고 상대의 태도가 불편하다는 표현을 하고 싶어요.

영어에서의 "attitude"란 <u>어떠한 일 자체를 크게 바라보는 모습과 방향, 또는 사람의 성격 자체를</u> 의미합니다.

I really admire your dating attitude, **which is so healthy.**
(당신이 연애를 바라보는 방식이 정말 부러워요, 너무 건강한 태도인 것 같아요.)

앞에서 한번 기분 나쁜 태도와 말투를 보인다 해도 뒤에서 무슨 일이 있었는지 모르니 그 한번의 경험으로 그 사람의 성격을 단정할 수는 없지요. 한국어심리에서는 항상 <u>"태도"</u>를 말하더라도 영어의 심리는 이것을 "tone"이라 표현합니다.

Watch your tone. (말 하시는 태도가 마음에 안 드네요.)
I don't really care about your tone. (그렇게 언성 높여도 소용없어요.)

👉 SIDE INFO

Tone deaf (소리의 높낮이 + 귀머거리 = 음치)
Color blind (색상 + 장님 = 색맹)

what?

내 차니까 내 마음이죠.

(x) My mind in my car.

(o) **My car, my rules.**

"My mind." "내 마음이에요." 지금까지 한국에서 클럽활동을 하거나 영어를 가르치면서 가장 많이 들어본 말이 아닐까 합니다. 보통 단어장에서 소개하는 한국어 심리 "마음"을 표기하는 영어단어가 "mind"이기 때문이겠죠? 딱 들어맞는 경우를 알아볼까요?

I will make him feel a piece of my mind.
(내 마음이 어떻게 느끼는지 그 사람한테 그대로 전하겠어.)

I see how your mind **works.**
(당신이 어떤 식으로 생각하는지 보이네요.)

A: That's how I feel. (그게 저의 마음이에요.)
B: You read my mind! (내 마음을 읽었군요!)

이번에는 틀린 경우입니다. "마음대로 해라" "네 마음이 끌리는대로 해라"를 영작해 보라고 했더니 "Follow your mind"라고 전원 답했습니다. 이러면 원어민이 갸우뚱 해요. 영어심리 속의 올바른 표현을 알아보겠습니다.

Follow your heart. (너의 심장을 따라.)
Do as you wish. (네가 바라는 대로 해.)
It's your call. (당신이 부르는 것이 결정이지요.)
It's up to you. (그건 너에게 달렸어.)

이 mind라는 말은 mir, min, men, mine, mon, monde, mundo 등의 여러 개국 어휘들과 한뿌리에서 나온 친족어휘로서 "나의 세계, 이 세상" 이 그 뿌리의미가 됩니다. 내가 세상일을 바라보는 관점과 세계관, 그리고 나의 마음은 모두 결국 "나의 세상" 이지요. 여기서 세상, 마음, 신경, 관심 등의 의미로, 여러 가지를 내고 파생된 것입니다. 영어에서는 동사형과 명사형으로 쓰인답니다.

Keep that in mind. (그거 네 세상 속에 항상 담아두고 있어라. = 명심해.)

Never mind. (너의 세상 안에 두지 마라. = 신경 쓰지 마라.)

Don't mind me. (제 신경은 쓰지 마세요.)

Mind your own business. (네 일에나 신경써. = 참견마.)

I'm losing my mind. (정신이 나가겠어. = 미치겠다.)

Wow, it blows my mind! (와, 제 세상의 벽을 부셔버리네요. = 놀랍네요!)

Can you just open your mind and see that I can be different?

(니가 생각을 좀 고치고 내가 달라질 수 있다는 걸 좀 봐줄래?)

Let me know if you change your mind.

(마음이 바뀌면 알려주세요.)

Take it before I change my mind.

(나 마음 바뀌기 전에 가져가세요.)

A: Would you mind if I opened the window?

(제가 창문을 열면 신경이 쓰이시겠어요? = 창문 좀 열어도 될까요?)

B: I don't mind. Go ahead.

(신경 쓰이지 않아요. 그렇게 하세요.)

말 조심해!

(x) Be careful with your words.

(o) **Watch your mouth.**

회화 시간에 친구들끼리 "Be careful with your words"라고 하는 것을 여러 번 들었습니다. "말 좀 가려서 하자" "말 조심해라"라는 표현을 원했던 거네요. 이런 경우에 영어의 언어심리로는 <u>"니 입 좀 잘 지켜봐, 관리 좀 잘해"</u>라는 표현으로 "Watch your mouth"라고 말합니다.

✅ 활용 예시

Watch your step. (발걸음 주의하세요. = 발조심 하세요.)

A: Watch your mouth, young man!
(말 조심해, 이 녀석아!)
B: I can't watch it; it's under my nose.
(어떻게 봐요, 코 아래 있는 것을요?)

👉 SIDE INFO

Watch out! (내다봐봐! = 위험해!)
Watch out for cars. (차 조심해.)
Watch out for dust; fine dust is just horrible today.
(먼지 조심해요. 미세먼지가 그냥 최악이니까 오늘.)

포크레인이 막고 있어요.

> ⊗ A Poclain is blocking the way out.
>
> ⊙ **An excavator is blocking the way out.**

늦었는데 주차장 앞에 웬 포크레인 한 대가 길을 막고 있네요. 급하게 우리 단지 관리사무소에 연락해서 담당자(Maintenance Officer 또는 Maintenance Supervisor (줄여서 Super))에게 도움을 청합니다.

Super: What's blocking the way? (담당자: 뭐가 막고 있다고요?)
Resident: It's a Poclain. (주민(한국어심리): 포크레인이요.)
(주민(영어심리): 그 회사 포크레인 있잖아요. (아예 모르는 이들도 많음))
Super: Wait, what? (담당자: 네, 뭐가요?)

한국에서 당연하게 받아들이고 사용하고 있는 <u>포크레인</u>은 엉뚱하게 프랑스의 <u>Poclain (포클랑)</u> 농업장비 회사 이름이고, 영어 표현은 1) 미국에서는 excavator (발굴기: 굴(-cav[e]-) 밖으로 꺼내는(ex-) 행위를 하는(-a[c]t-) 것 [-or]), 그리고 2) 영국에서는 digger (땅파는(dig-) 것(-er))이라고 한답니다.

👉 SIDE INFO

한국에서 굴착기를 포크레인이라고 하듯이 미국에서도 회사나 상표이름이 제품이름이 되어버린 경우가 상당히 많은데요. 대표적인 예가 면봉을 Q-tips라고 하는 것입니다. 면봉(綿棒)은 목화 꽃봉우리처럼 생긴 것이니까 cotton bud라고 해야 맞겠지요. 실제로 오늘날 표준사전에는 cotton bud와 Q-tips가 둘 다 표기되어 있답니다. 미국에서는 그냥 Q-tips라 그러면 다 통합니다.

보온병 하나 주실래요?

🗨 A vacuum bottle, please.

🗨 A Thermos, please.

보온병은 완전히 밀폐된 진공병이라고 직역해서 vacuum bottle 또는 flask 라고 하시면 됩니다. 그런데 오늘날 사전에서는 Thermos와 vaccum bottle 그리고 flask가 모두 표기되고 있습니다. Q-tips처럼 상표명인 Thermos가 보온병이라는 명사로 굳어져 버린 또다른 경우입니다.

✔ 활용 예시

A: How may I help you?
(뭘 찾으시나요?)
B: I need a Thermos.
(보온병이요.)

A: Weather's cold today.
(오늘 날씨가 춥네.)
B: Yeah, let's bring our Thermos with us.
(그러네, 우리 보온병 들고 가자.)

A: Oh, you brought your hot coffee in Thermos!
(와, 보온병에 따뜻한 커피 담아 오셨네요!)
B: You bet I did.
(기본이지요.)

락스만 좀 있으면 돼요.

> (x) Just some rox is needed.
>
> (o) **Some bleach will do.**

한국에서 유한락스로 유명한 락스도 원래는 상표명이지요. 모든 것을 하얗게 만들어 버리는 표백제는 유명한 <u>미국의 상표명 클라락스(Clorox)</u> 때문에 락스 (rox)로 한국에 알려졌습니다. 미국에서는 락스를 표백하게 하는 또는 보기 싫은 색을 바래게 하는 것이란 뜻의 bleach (블리치)라고 부르며, 표백하다라는 뜻의 동사로도 사용합니다.

✅ **활용 예시**

A: **What do you need?** (뭐 필요해요?)
B: **Just some bleach will do.** (락스만 좀 있으면 돼요.)

A: **Oh no, there's a coffee stain on my white tablecloth.**
(어떡해요? 하얀 식탁보에 커피 자국이 생겼어요.)
B: **No worries, some bleach will do the job.**
(걱정마요, 락스만 좀 있으면 돼요.)

A: **What did you do to your teath?** (대체 이빨에 무슨 짓을 한거야?)
B: **What? I bleached them at the dental clinic.**
(왜, 치과에서 표백했는데.)

👉 SIDE INFO

~면 될 것이다, ~이면 충분하다는 말은 간단하게 will do라고 표현하시면 됩니다.

A: They seem dehydrated. (다들 탈수증상이 보이네요.)

B: Nah, they're Marines. Just a little water and rest will do.

(에이, 해병들이잖아요. 그냥 물 좀 마시고 쉬면 금방 괜찮아져요.)

이 구두주걱 좀 빌릴게요.

(x) May I borrow this shoe scoop?

(o) **May I borrow this shoehorn?**

신발을 신을 때 편리한 구두주걱을 한국말 그대로 구두주걱(shoe scoop)이라고 하면 원어민들은 <u>큰 주걱으로 아예 구두자체를 퍼 올리는 상상을 하면서 빵</u>터집니다. 염소나 버팔로(buffalo)의 뿔처럼 생겼다고 구두뿔(shoehorn)이라고 하거나 구두숟가락(shoe spoon)이라고 말하면 자연스럽게 통합니다.

✅ 활용 예시

A: Darn, my thick fingers! (진짜, 이 두꺼운 손가락!)
B: Ouch! Here, use this shoehorn.
(내 손이 다 아프다. 자, 이 구두주걱으로 해봐.)

A: You got a shoe spoon? (혹시 구두주걱 가지고 계세요?)
B: Sure, here you go. (네, 여기 있어요.)

👉 SIDE INFO

우리의 다섯손가락은 영어로 어떻게 부를까요?

Thumb (엄지)

Index (집게손가락, 검지)

Middle finger (가운데 손가락, 중지)

Ring finger (약손가락, 약지)

Pinky (새끼손가락)

이쑤시개 좀 주실래요?

(x) Can I get a teeth stick?

(o) **Can I get a tooth pick?**

한국에서는 일본식 한자읽기로 "요지(楊枝)"라고도 하더라고요. 식사 후 이 사이에 낀 음식물을 쑤셔서 빼낼 때 쓰는 "이쑤시개"는 영어로도 "이 쑤시다 (tooth pick)"라고 부릅니다. 작은 막대기라고 stick으로 잘못 많이 사용하시지만, 표현하는 심리가 다르답니다.

✔ 활용 예시

Boy: <u>Can I</u> get a tooth pick?
(아이: 이쑤시개 하나 받을 수 있을까요?)

Mom: Honey, <u>"may"</u> I get a tooth pick?
(엄마: 아들, 이쑤시개 하나 받아도 "될까요"가 올바른 표현이야.)

Boy: Okay, <u>can I</u> go to bathroom, mom?
(아이: 네, 알았어요, 엄마, 나 화장실 좀 다녀올 수 있을까요?)

Mom: I don't know. <u>"CAN't"</u> you?
(엄마: 글쎄, 우리 아들이 혼자 화장실 찾아갈 "능력"도 없을까?)

본동사를 꾸며주고 도와주는 액세서리 조동사(auxiliary verb). can과 may의 차이를 한번 살펴볼까요?

A: May I drive? (제가 운전해도 될까요?)
B: No, you may not drive yet. (아니, 아직은 허용할 수 없어.)

A: Can I drive? (저는 운전을 할 줄 알까요?)
B: I don't know. Can you? (글쎄요, 할 줄 아세요?)

문법([pro]grammar) 상(上)에서는 그렇지만 일상회화에서는 그냥 "운전해도 돼요?"를 "Can I drive?" 라고 편하게 말씀하시면 됩니다. 상대가 미국이나 영국, 호주, 캐나다 등 영어권 국가 국어선생님(English teacher)만 아니라면 딴지를 걸지 않을 거예요, lol.

저 여자분이 집주인이에요.

- ⊗ That lady over there is the landlord.
- ◎ **That lady over there is the landlady.**

"집주인" 또는 "땅주인"을 "landlord"라고 배우시지요? 맞습니다. 제 주인님 또는 주님 할 때 My Lord라 하는 것과 같습니다. My Lord라는 말이 나온 김에 좀 더 알아보자면, "주기도문"은 "Lord's Prayer"입니다. 참고로(FYI) 한국의 사극에서 "대감마님"이라는 호칭이 있지요? 이 말도 "My Lord"라고 번역하시면 됩니다. "주인님"이란 말이지요.

그런데 집주인이 만약 "여성"이라면, 그래도 lord를 사용할까요? 일국의 여왕을 female king이라 하지 않고 queen이라 하듯 여성 임대주는 lord 대신 주인의 부인이란 뜻인 lady를 사용하시어 landlady라고 하시면 됩니다.

✔ **활용 예시**

I just signed a contract with my new landlady.
(막 새 집주인이랑 계약서에 서명했어요.)

👉 SIDE INFO

"그 말"이 나와서 말인데라는 표현 많이 쓰시지요? 영어로는 speaking of "which"라고 하시면 됩니다.

Speaking of "national anthem," you guys should memorize "it" by tomorrow. ("국가"란 말이 나와 말인데, 너희 내일까지 "그거" 외워야 해.)

Speaking of which, you should memorize the "Star-spangled Banner" by heart. (말 나온 김에, 너희 "성조기(미국 애국가 제목)" 다 암기해야 해.)

표현 070

제가 좀 원시인이에요.

(x) I'm a prehistoric man.

(o) **I'm a caveman.**

문명기기에 어두운 사람이나 기계치들을 한국어심리로 원시인이라고 하지요? 역사 기록이 시작되기 이전 시간인 원시(pre-history)의 사람이란 이 말을 영어로 그대로 직역하시네요. 영어의 표현심리로는 아직도 원시인처럼 "동굴에 사는 사람"이라고 "caveman"이라고 합니다.

✅ 활용 예시

Ha-ha, you're such a caveman. (헐, 너 완전 기계치구나.)

What a caveman **he is!** (쟤 완전 원시인이잖아!)

👉 SIDE INFO

How wonderful it is! (너무 멋지다!)

How beautiful she is! (너무 예쁘다!)

How far away it is! (진짜 멀기도 하다!)

What a wonderful man he is! (진짜 멋진 사람이야!)

What a beautiful lady she is! (정말 아름다운 여인이야!)

What a faraway country it is! (진짜 먼 나라잖아!)

It is far away. (진짜 멀리 있다.)

It's a faraway land. (정말 먼 곳이다.)

그 NG 모음 정말 웃겨요.

(x) The NGs are really funny.

(o) **The bloopers are really funny.**

한국에서 **NG**라는 말 정말 많이 들었습니다. 그런데 이 말이 영어표현이 아니라는 사실, 알고 계셨나요? **No Good (안 좋아, 다시 해)**의 줄임말로 한국에서 만들어진 말인 것 같네요. NG는 "사람들 앞에서 범하는 당황스런 실수"라는 뜻 "blooper"라고 합니다.

✓ 활용 예시

Have you seen their bloopers? (저 드라마 NG 모음 봤어?)

The actors made a lot of hilarious bloopers.
(진짜 웃기는 NG들 많아.)

These are some of the funniest bloopers ever.
(이게 진짜 최고로 웃긴 NG 모음이에요.)

☞ SIDE INFO

한류(Korean Wave)와 함께 "K-드라마"가 세계적인 관심을 받고 있습니다. 영어일 것 같은 이 drama는 실은 극적인 사건이란 뜻으로, 한 직장에서 사내커플이 엮인 삼각관계 같은 일이 벌어지면 That's quite a drama라고 한답니다.

한국에서 드라마라 부르는 연속극은 미국에서는 쉬는 시간에 목욕을 하면서 여유롭게 즐기는 연기무대라는 뜻인 soap opera라 하며, 간단하게 a TV show 또는 그냥 show라고 부르시면 됩니다. 마찬가지로 한국에서 연기를 하는 배우란 뜻으로 널리 쓰이는 탤런트(talent)는 영어로는 능력 또는 끼라는 뜻이며, 배우는 연기(act-)하는 사람(-or), 즉, actor라고 합니다. 원래 여배우는 actress인데 요즘에는 그냥 남녀배우 통틀어 actor라고 하는 추세입니다.

표현
072

어떻게 생각하세요?

- ⊗ How do you think?
- ◎ **What do you think?**

한국에서 영어를 배우는 어린 학생들이 많이 반발하는 표현 중 하나입니다. 요점은 "어떻게(how)" 생각하냐고 물었는데 왜 "무엇을(what)" 생각하냐고 말하는가인데요. 바로 한국어와 영어의 표현심리 차이 때문에 그렇답니다.

✓ 활용 예시

What do you think?
(그것에 대해 어떻게 생각하세요?)
(그것을 보거나 듣고 무슨 생각을 하세요?)

의문대명사(interrogative pronoun) how와 what 때문에 많이 헷갈려 하시는 표현들을 좀 짚어보도록 하겠습니다.

A: My baby niece's birthday's coming.
(곧 우리 조카딸 생일인데.)

B: How about a book for her birthday gift?
(그 아이 생일선물로 책은 어때요?)

A: Good. What about my nephew's?
(좋아. 그 아이 남동생 것은 어떻게 하지?)

B: What about his?
(걔 거는 왜?)

위의 대화 예에서 한국어의 "왜?"라는 심리가 영어에서는 "무엇"이라고 배우신 "What?"으로 표현이 되었네요. "왜?"는 무조건 "Why?"라고 많이들 생각 하시지요? 하지만, 불어의 Pour quoi? (= For what? = 무엇을 위해? = 뭐 때문에? = 왜?)와 같이 어떻게 그리 되냐?라는 뜻의 표현 How come?이 또한 Why?와 똑같은 말로 정말 많이 사용된답니다.

Why <u>didn't you</u> show up last night?
How come <u>you didn't</u> show up last night?
(어제 밤에 왜 안 왔어?)

의문형(question)으로 주어(subject)와 동사(verb)의 순서를 바꾸는 것이 헷갈리시는 분들은 그냥 평서문 앞에 How come만 붙이고, 말씀하실 때 문장 끝만 올려서 끝내주시면 똑같은 의문문입니다.

닭살 돌아요.

(x) I have chicken fresh.

(o) **I got goosebumps.**

범퍼카(bumper car) 다들 아시지요? 서로 부딪히면서 접촉하는 놀이기구입니다. 무언가와 부딪히면 접촉(bump)한 부분이 부어서 불룩 튀어나오곤 합니다. 닭살이 돋으면 피부가 일어나요. 영어의 심리로는 우둘투둘한 거위의 살가죽 같다고 합니다. 닭살이 아닌 거위살 즉, goosebumps입니다.

✓ 활용 예시

Jesus, you gave me goosebumps. (맙소사, 아주 닭살이 돋게 하는구만.)

Stop it, you're giving me goosebumps! (그만 좀 해, 닭살 돋잖아!)

Cut it out, don't you see all these goosebumps?
(그만 좀 해, 이거 닭살 안보여?)

👉 SIDE INFO

그만둬, 그만 좀 해라는 표현은 stop it 이외에도 그거 그만 끝(cut)내라(outcome)
의 의미로 cut out을 또한 정말 많이 사용합니다.

A: I love you, hon. (사랑해, 자기야.)

B: Cut that out, dude!!! (그만 좀 해, 이 징그러운 자식아!!)

일부러 그랬죠?

(x) You did that intentionally.

(o) **You did that on purpose.**

경기 도중에 "고의"로 반칙(foul)을 하면 심판(referee)에게서 인텐셔널파울 (intentional foul)을 받습니다. 축구에서는 옐로우카드(Yellow Card)라고 하지요. 작정하고, 의도적으로, 고의로라는 한국말은 영어로도 <u>intentionally</u> 가 맞기는 합니다. 그렇지만 **"목적을 바탕에 깔고" "목적 위에"**라는 의미의 on purpose를 사용하시는 것이 더 자연스럽답니다.

✔ 활용 예시

I didn't do that on purpose. (일부러 그런 거 아니에요.)

It was an honest mistake. (정말 모르고 한 거에요.)

It was an accident. (고의가 아니에요, 사고였어요.)

👉 SIDE INFO

A: Why? Why would you do that to me? (대체 왜, 나한테 왜 그런거야?)

B: Just for the record, it wasn't an accident.

(하나 분명히 말하자면, 사고는 아니었다는 게지.)

A: You set me up! (나한테 덫을 놓은 거야?!)

그 사람 정말 어른스러워요.

> ⊗ He has a very mature feature.
>
> ◎ **He has a very mature personality.**

한국어로 특징이나 성격을 영어로 **feature**이나 **character**로 많이들 번역하세요. 비록 한국어 정의는 같지만 feature은 <u>사물이나 물건 또는 사람의 겉에 보이는(appearance) 특징</u>을, 그리고 character은 <u>무언가 등장인물이나 특정인물(figure)의 역할</u>이라는 느낌입니다. <u>사람의 인물성, 성향, 언행과 관련된 특징, 성격 등을 표현</u>할 때는 <u>personality</u>를 사용하셔야 혼동 없이 가장 자연스럽답니다.

He's a father figure. (그는 아버지 같은 사람이다.)

She's got a laid-back character.
(그녀는 뭔가 태평스런 인물의 역할이지요.)
(그녀는 뭔가 태평스런 기질이 있습니다.)

She's got a laid-back personality.
(그녀는 뭔가 태평스런 성격이에요.)

He's got a very dark-skinned feature.
(그는 피부가 매우 검은 것이 특징입니다.)

He's got a pretty handsome feature, tightly-wrapped personality **though.** (그는 상당히 잘생긴 얼굴이에요, 성격이 너무 꼼꼼하고 FM이기는 하지만요.)

👉 SIDE INFO

규칙대로 하는 사람을 FM이라고 부르지요? 군대의 야전교범 또는 현장지침서 즉, "Field Manual"을 줄인 말이랍니다. 교범과 지침대로 하는 사람이라는 뜻이지요.

똥꼬가 바지를 먹었어요.

(x) His hip ate his pants.

(o) **He got a wedgie.**

친한 친구들 사이의 장난이었던 것 같은데, 똥꼬가 바지를 먹었다는 말을 듣고 정말 깜짝 놀랐습니다. 인체의 특징상 등산을 하거나 오랫동안 의자에 앉아있으면 이런 일이 생기곤 합니다. 일부러 장난을 치기도 하고요. 자랑은 아니지만 미국에서는 아직도 친한 친구들 사이나 형제들 사이에 이런 장난이 비일비재하답니다. 서로의 속옷을 위로 잡아 당겨서 엉덩이 사이에 고통을 주는 장난이지요.

✅ 활용 예시

You got a wedgie.
(너 엉덩이에 바지가 끼었네.)

What, you want some wedgies?
(왜, 혼구녕 좀 나볼래?)

You gave me daily wedgies back in our school years.
(넌 이 놈아 우리 학교 다닐 때 매일매일 내 바지 잡아 올렸잖아.)

👉 SIDE INFO

참고로(For Your Information, FYI), 엉덩이의 두 볼은 얼굴의 볼(cheek)과 마찬가지로 butt cheeks라고 부른답니다. 어른들이 귀엽고 사랑스러워 톡톡톡 때려주는 것이란 의미로 아가들의 엉덩이는 tush (투쉬)라고 부릅니다. 건드리는 것이란 뜻의 touch-i (터치-이)를 프랑스어 발음으로 말한 것입니다.

그 사람들 새 보금자리 찾았네.

Ⓧ They sought their new home.

Ⓞ **They found their new home.**

한국어 정의 "찾다"라는 영어 단어는 동사어 "find"와 "seek"이라 배우셨지요? 맞습니다. 그런데 둘을 알맞게 잘 사용하셔야 한답니다. 하나는(one) **"(~을) 찾아다니다/ 필요로 하다)"**라는 뜻인 반면, 다른 남은 하나는(the other one) **"발견하다/ 이미 찾았다"**라는 뜻으로 나뉘기 때문입니다.

They're seeking help. (그들은 도움이 필요합니다.)

They're looking for help. (그들은 도움을 찾아다닙니다.)

They're trying to find help. (그들은 도움을 구하고자 합니다.)

They will find help. (그들은 도움을 받을 거예요.)

They've found help. (그들은 도움을 받았습니다.)

HELPING HAND

👉 SIDE INFO

조동사 have나 has 뒤에 동사의 과거분사(past participle, p.p.)형이 보이면 현재 시점에서 일이 이미 완료되었다는 현재완료형(present perfect) 표현이 됩니다. 한국어에서는 그냥 과거형과 같네요.

I've seen the movie. (그 영화 봤어요.)

The ship's sailed. (그 배는 떠났어요. = 너무 늦었어요.)

그 말 취소할게요.

> (x) I cancel it.
>
> (o) I take it back.

한 말을 안 한 것으로 취소하겠다는 한국어의 표현심리는 "취소"라는 어휘를 선택합니다. 하지만 이것을 그대로 번역하여 옮기면 영어의 표현심리와 일치하지 않답니다. 영어의 심리는 "밖으로 나온 것을 내가 다시 가지고 오는 것"이니까요.

✓ 활용 예시

A: Really? You got an A on math? How?
(이거 뭐야? 너가 수학 A를 받았다고? 어떻게?)
B: Yeah, I worked really hard on it. What, you think I cheated on the test?
(그래, 얼마나 열심히 공부했는데. 왜, 내가 시험 때 컨닝이라도 했을까봐?)
A: Sorry, I take it back. (미안, 아까 말한 거 취소할게.)

A: Your new hairdo is hilarious. (니 머리한거 진짜 웃겨.)
B: You take that back! (너 그 말 취소해!)

👉 SIDE INFO

원어민들이 많이 쓰는 말 중에 **"hairdo"** 라는 말이 있습니다. **"헤어컷(haircut)"** 또는 **"헤어스타일(hairstyle)"** 정도로 받아들이시면 되겠습니다.

Wow, you got a new hairdo. It's delightful!
(우와, 너 머리 새로 했구나. 진짜 예뻐!)

그 사람 진짜 너무 짜요.

(x) He's really salty.

(o) **He's really cheap.**

인색한 사람을 보고 한국에서는 **"짜다"**는 표현을 사용합니다. 인성이 사랑스럽고 달콤(sweet)하지를 못하고 짠 맛이 난다고 싫다는 감정의 표현을 하는 것이네요. 하지만 영어의 표현심리는 다릅니다. 무언가가 **"싸다(cheap)"** 또는 **"아니 싸다, 비(非)싸다(not cheap, expensive)"**할 때의 형용사 **"cheap"**을 사용한답니다.

✔ 활용 예시

You're so cheap, man! (야, 이 짠돌아!)

Don't be cheap. (너무 인색하게 굴지 말어.)

He's too cheap to pay for a nice hotel.
(그 사람이 멋진 호텔에 돈 막 쓰기에는 좀 많이 인색하지요.)

👉 SIDE INFO

싸다는 뜻의 형용사 cheap은 또다른 의도로도 사용됩니다.

He acts so cheap. (그 사람 너무 비굴하게 행동하네요.)

No, you look so cheap; put on some more clothes!
(안돼. 너무 야해. 옷 좀 더 입어!)

Eh? What's going on here? You are cheaper than usual.
(에? 오늘 너 답지 않게 왜 그래? 평소랑 달리 자세를 낮추네.)

갑자기 아이디어가 생각났어.

> ⊗ I just suddenly thought the idea.
>
> ◎ **That suddenly popped in my head.**

무언가 머리에 떠오르고 생각이 났다고 말을 할 때 I thought that이라고 말씀하셔도 알아듣습니다.

A: What do you think? (내 아이디어 어때요?)
B: Great! I thought that too! (진짜 마음에 드네요! 나도 그렇게 생각했어요!)

하지만 갑자기 <u>pop하고 떠오른 기발한 아이디어</u> 같은 것을 표현하실 때는 아래와 같이 말씀하시면 가장 자연스럽네요.

A: What a great idea! How did you come up with that?
(너무 좋은 아이디어네요! 어떻게 생각해 냈어요?)
B: Nah, it just popped in my head while having breakfast.
(별 말씀을요, 그냥 아침 먹는데 갑자기 떠올랐어요.)

Wait! One more idea just popped in my head!
(잠시만요! 좋은 아이디어 하나 더 떠올랐어요!)

👉 SIDE INFO

위의 예문들을 보시면 같은 just인데 의미가 다르네요. 원래 just는 justice (정의: just+ic)라는 어휘에서 보시 듯 "바른" "(별다른 생각이나 계산 없이) 바로" "막" "딱" "맞는" "단순히" 등의 의미를 가지고 있습니다. 막 나온 젊고 순수한 youth (젊음: jut/ jud/ jus)와 친족어 사이지요.

웃기는 소리 하지마.

(x) That's funny.

(o) **Get out of here.**

웃기다는 한국어 심리로 funny를 먼저 생각할 법합니다. 실제로 캘리포니아에서부터 시작해서 수년 간 한국분들에게 영어를 가르치면서 가장 많이 들은 말입니다. 그런데 이번 표현의 경우에는 영어의 심리가 좀 다른데요. 왜냐하면 funny는 당신 생각이 재미있고 마음에 든다는 뜻으로 <u>잘못된 의도가 전달될 수 있기 때문입니다.</u>

✅ 활용 예시

Get out of here. (무슨 소리야? 웃기는 소리 할 거면 나가버려.)

That's ridiculous. (웃긴 소리 하지마. 정말 어이없어.)

친한 친구(friend)나 가까운 동료(colleague) 관계가 아니라 바이어(buyer)나 타사의 사업파트너(business partner) 또는 별로 개인적인 친분이 없는 지인(acquaintance)에게는 간단하게 아래와 같이 말씀하시면 돼요.

Sorry, but I don't think **it's a good idea.**
(죄송하지만 저는 그게 별로 좋은 생각이라 생각하지 않아요.)

👉 SIDE INFO

다들 아시는 funny 외에 "웃기다" 라는 표현으로 hilarious와 ridiculous라는 표현도 많이들 배우십니다. 그런데 실제 사용시에 큰 차이가 있어요.

It's hilarious! (너무너무 재미있다!)

It's ridiculous! (실없다. 말도 안된다. 어이없다.)

표현 082

그만 좀 떨어져.

(x) Stay away from me.

(o) **Get off me.**

아이들이나 친한 친구들이 좋다고 매달릴 때가 많으신가요? 또래의 친구들은 말할 것도 없고 점점 커가는 아이들도 정말 무겁습니다. 좋아해줘서 고마운데, 더워, 아님 무거워, "나한테서 좀 떨어질래? 그만 내려갈래?"라는 올바른 표현을 알아보겠습니다.

✅ **활용 예시**

Stay away from me. (가까이 오지 말아주세요.)

Thank you, but it's a bit heavy, guys. Would you get off me? (축하해줘서 고마워, 그런데 좀 무거워서, 그만 나한테서 내려가 줄래?)

I can't breathe. Please, get off me.
(아고 숨막혀, 그만 좀 떨어지자.)

👉 SIDE INFO

"나한테서 떨어져" 라는 표현을 "Fall from me" 라고 하시는 분도 보았네요. 잘못된 표현입니다. 명사와 동사로 사용되는 영단어 fall의 표현을 좀 더 알아볼까요? Fall은 위에서 아래로 추락하고 망하고 죽는 상실의 느낌이 강한 어휘입니다.

He took a fall. (그 친구 넘어져서 다쳤어. (or) 그 친구 추락했어.)

She fell off the stage. (그 아이 무대에서 떨어졌어.)

Fall of the Hero (그 영웅의 죽음)

거기서 좀 떨어져.

ⓧ Detach from there.

ⓞ **Get out of there.**

가끔 쟁반이랑 대화를 나누는 자신을 발견하시나요? 저랑 제 짝꿍은 가끔 그런 답니다. 맛있게 잘 먹고 있는데 음식이 쟁반에 딱 붙어서 안 떨어져요. "제발 좀 떨어져"라고 "붙은 것이 떨어지다"라는 동사인 "detach"를 사용하더라고요. 하지만 이 경우 영어의 표현심리는 "나가다"라는 "get out" 또는 바로 지난 표현시간에 배우신 "떨어지다"라는 "get off"을 사용합니다.

✔ 활용 예시

Come on, ya bread, why are you so sticky? Get off **the plate.** (아 진짜, 이 빵이, 왜 이렇게 끈적하고 그래? 좀 떨어져라!)

How come you got stuck in there, huh? Get out **of there.**
(대체 왜 거기 끼어있냐? 좀 떨어져 나와라.)

Come on, let it go, Goldilocks!
(그만 좀 나와라, 거기서 살래!)

"아빠곰, 엄마곰, 아가곰 (Papa Bear, Mama Bear, Baby Bear)" 다들 잘 아시지요? 19세기에 영국작가 로버트 사우디(Robert Southey)가 쓴 유명한 소설 "골디락스와 세 마리 곰(Goldilocks and the Three Bears)" 이야기가 그 원류로 알려져 있는데요. 이 이야기 속 주인공 골리락스(Goldilocks)라는 여자아이가 숲속에서 길을 잃고 헤매다가 비어있는 곰가족의 집에 들어가 차려진 음식을 먹고 침대에서 자고 아예 눌러앉아 사는 것처럼 게으르게 행동을 합니다. 비슷한 모습으로 무언가 끼여서 도무지 나오질 않고 있거나, 누군가 움직이질 않고 계속 게으름을 부리거나, 혹은 아무런 노력도 없이 무언가를 거저 얻으려 하는 사람(freeloader)들을 가리켜 이렇게 말하는 것이 상당히 일반적입니다.

Get off the couch, Goldilocks. (이제 소파에서 좀 일어나라, 이 게으름뱅아.)

제가 시간을 좀 벌어볼게요.

> (x) I will earn some time.
>
> (o) **I will buy some time.**

무언가를 "벌다"를 동사 "earn"이라고 배우시네요. 맞습니다. 하지만 earn은 무작정 무엇을 벌다기 보다는 무언가 열심히 노력하여 정당하게 얻어내는 것을 표현하는 동사입니다. <u>시간을 벌다는</u> buy를 그리고 <u>돈을 벌다는</u> make을 사용하시는 것이 더 자연스럽답니다. 상황 예시를 한 번 보시지요.

✔ 활용 예시

Can you buy some time **for me?** (날 위해 시간 좀 벌어 줄 수 있어?)

I made **some extra money.** (공돈 좀 벌었다.)

I have earned **that money!** (진짜 열심히 해서 번 돈이라구!)

Congrats on your A! You earned **it.**
(A 점수 받은 거 축하해! 너무 열심히 잘 했어.)

Ya want my respect? Earn **it, man.**
(내 존경을 원해요? 그럼 그만한 사람이 먼저 되세요.)

👉 SIDE INFO

로또(Lottery)에 당첨되어 돈을 많이 "벌었어요." 이건 정당한 노력의 대가가 아니라 운이 좋았기 때문에 earn money가 아니라 그냥 make money만 사용하셔야 합니다.

잘 먹겠습니다.

ⓧ I will eat well.

ⓞ **Thank you for the food.**

세계에는 수많은 언어들이 있지만, 한국식의 "잘먹겠습니다"라는 표현이 있는 언어는 같은 북방부여말에 뿌리를 둔 한국어와 일본어 뿐이라 알고 있습니다. 나에게 차려 준 음식을 감사히 잘 먹겠다는 말이지요. 그렇다고 이것을 한국어 심리 그대로 내가 잘 먹을 것이다라고 표현하시면 영어의 심리는 이것을 오해하게 됩니다. "잘 먹을게요"라는 표현 안에 내재하고 있는 "감사히"라는 포인트를 표현해 주어야 바르게 이해하고 소통이 되는 것이랍니다.

✅ 활용 예시

It looks great. Thank you. (맛있겠네요. 감사히 먹겠습니다.)

Thank you for **the nice meal.** (좋은 식사 차려 주셔서 감사합니다.)

제가 캘리포니아와 한국에서 한인들을 상대로 영어회화를 가르치면서 가장 많이 받은 질문이 있습니다. 바로 "'잘먹겠습니다'를 어떻게 표현해야 하는가?" 하는 질문입니다.

주변 사람들의 흔한 이름이 보통 성경의 등장인물들 이름인 사실에서 볼 수 있듯이, 대부분의 서양 언어들은 구교(Catholic)이건 신교(Protestant)이건 크리스천(Christianity)의 세계관과 그에 따라 형성된 문화(cult + ur[e]), 그리고 당연히 그에 바탕한 표현심리가 기본을 이룹니다.

주기도문(Lord's Prayer)에서도 나오듯 하늘에 감사드리는 가장 기본이 되는 것이 바로 우리가 먹고 살 수 있는 "일용한 양식"입니다. 아주 당연하게 음식을 마련해 준 부모님이나 식사에 초대하여 소중한 음식을 나누어 준 집 주인에게 감사의 표현을 하면 된답니다.

입냄새 나요.

(x) You have bad mouth smell.

(o) **You got bad breath.**

입에서 나는 "냄새"라고 한국어의 표현심리로는 mouth "smell"을 자연스레 떠올리게 되는거 같아요. 하지만 영어의 심리는 <u>사람이 숨을 쉬며 나오는 공기에 초점을 맞추기에</u> 이것을 좋지 않은 "숨" 즉, "breath"라 표현한답니다.

✓ 활용 예시

I got a meeting in 10 mins. Tell me if I got bad breath.
(10분 후에 미팅이야, 혹시 나 입냄새 나는지 말해줘.)

A: What is this funny smell? (어, 여기 이 이상한 냄새 뭐지?)
B: Oh my God, you think it's my breath?
(이런, 혹시 내 입에서 나는 냄새인가?)

A: This would be my fifth cup of coffee today.
(나 이게 오늘 다섯번째 커피일 거야.)
B: Holy Mother of God, that's why you got that coffee breath. (맙소사, 그래서 입에서 냄새가 그렇게 났구나.)
A: Sorry, hon.
(자기야, 미안.)

진심이에요.

(x) I'm being honest.

(o) **I mean it.**

친구가 준 선물이 너무 마음에 들어요. 별 것 아니라며 겸손함을 보이는 친구에게 "솔직한 나의 심정"이라는 마음을 전하고 싶어 "아니, 나 진심이야"라고 하고 싶으세요. "정직하고 솔직하다"라는 형용사 "honest"를 가장 많이 쓰십니다. 하지만 친구는 오해를 하겠어요. <u>소통을 위한 디폴트 값 심리(default mentality of communication)</u>가 영어로 세팅이 되어 있는 친구라서 그렇답니다.

✓ 활용 예시

A: **Nah, it's nothing.** (에이, 별거 아니야.)
B: **No, I'm honest.** (아니야, 나는 정직한 사람이야.)
B: **No, I'm being honest.** (아니, 나 지금 순간 진짜 정직해.)

올바른 소통이 되는 영어의 표현심리는 "진지하다"라는 "serious" 또는 "뜻하다"라는 "mean"을 사용하라 말하네요.

A: **Nah, it's nothing.** (에이, 별 거 아닌 걸 뭐.)
B: **No, I'm serious. I love it.** (아니, 진심이야. 너무 마음에 들어.)
B: **No, I mean it. I like it so much.** (아니, 진심이야. 정말 너무 좋아.)

그때는 공손하려 했어요.

ⓧ I was polite.

ⓞ **I was being polite.**

오랜만에 만난 친구와 옛날 이야기를 하다가 민망한 상황이 벌어졌어요.

✓ 활용 예시

A: You were driving that funny-looking junk back then.
(너 그때 그 웃기게 생긴 똥차 몰았었지?)
B: What? You said I looked really cool in that car.
(뭐? 너 내가 그 차 모는거 멋있다고 했잖아.)
A: I was being polite.
(그때는 공손하려 했던 거지.)

이 때 being을 빼게 되면 전달 의미가 완전히 달라집니다. 그 당시만 그렇게 행동한 것이 아니라 그러한 행동이 디폴트 값 성격이 되는 것입니다.

I am polite. (나는 공손한 성격이에요.)
I am being polite. (나 [지금만큼은] 공손해요.)

A: What do you mean you forgot? (깜빡했다니 무슨 말이야 그게?)
B: Sorry, I was being lazy. (미안, 잠깐 게을렀어.)
B: Sorry, I was being neglective. (미안, 순간적으로 태만했어.)

할 일이 좀 있어요.

> ⊗ I have a job to do.
>
> ◎ **I got a work to do.**

일거리를 work와 job 두 단어로 배우십니다. 맞습니다. 그런데 영어 심리에서는 둘 사이에 차이가 있네요. 먼저 job이랑 work 둘 다 일자리, 일거리가 맞습니다. "일 잘했다"라는 표현도 "Good job"도 맞고 "Good work"도 맞습니다. 하지만 "할 일이 좀 있는데"라고 표현하실 때 job을 사용하시면 <u>"일할 기회"</u> <u>"직장"</u> 혹은 <u>"전문(profession) 분야"</u>가 있다와 같은 느낌이랍니다. I have a "work" to do라고 하시는 것이 올바릅니다.

✓ 활용 예시

I'm sorry, I got some work to do. I'll take a raincheck.
(미안, 나 할 일이 좀 있어서. 다음 기회로 연기할게.)

Let's do some work, folks! (여러분, 그럼 일 한번 해 볼까요?)

I got work to do. (나는 반드시 해야 할 의무가 있어요.)

👉 SIDE INFO

Work라는 말이 여러 갖가지 의미로 쓰이지만 일상생활에서 가족이나 친구들 사이에 가장 많이 사용되는 표현은 역시나 "이번에는 할 일이 있어 다음 기회로 미루자"는 말이 아닐까 합니다. 이때 한국말로 심부름이라 배우시는 errand도 원어민들이 일상회화에 많이 사용하는 표현입니다.

A: Hey, what are you doing this evening? (저기, 오늘 저녁에 시간있어?)
B: I gotta run an errand. (해야할 일이 좀 있어.)

이건 내 일이라고요.

ⓧ It's my work.

ⓞ **It's my job.**

내가 내 일을 열심히 하고 있는데 옆에서 자꾸 참견을 합니다. "이건 내 일이니까 참견 좀 그만해요"라고 말씀하고 싶으신가요?

✓ 활용 예시

Stop interrupting. Please! It's my job!
(그만 좀 끼어드세요. 제발! 이건 내 일이라고요.)

Do your job!
(당신 일 좀 제대로 하세요!)

Let's just do our job, shall we?
(그냥 우리 할일이나 하자고.)

👉 SIDE INFO

관련 표현의 예들을 조금 더 살펴보실까요?

Leave it to me. It's my job. (나한테 맡겨요. 이건 내가 전문이에요.)

Stop it, will ya? I know what I'm doing. (그만 좀 참견해. 이 일 전문이라고.)

A: What a fine work! Who drew this? (멋진 작품이네요! 누구 그림이지요?)
B: Oh, it's my wife's. (아, 제 아내가 한 거예요.)

점수가 너무 낮네요.

(x) What a low score.

(o) **What a poor score.**

점수가 "낮다"라는 표현으로 low라고 해도 이해는 하겠습니다. 하지만 약간 갸우뚱 하게 되는 것은 역시 표현심리의 차이 때문일까요? 점수가 낮다는 이야기는 평가한 결과 일이나 물건의 질이 좋지 않다는 말이지요. 무언가 좋지가 않은 것은 "가난하다" 또는 "불쌍하다"로 배우신 형용사 "poor"을 사용합니다.

✓ 활용 예시

What a poor quality.
(질이 정말 낮네요.)

I'm afraid it was a poor performance.
(유감이지만 실적이 형편없네요.)

He made a poor decision.
(그 사람 잘못된 결정을 내렸어요.)

It was a poor judgement on his part.
(그 위치에 있으면서 그 사람 잘못 판단한 거예요.)

👉 SIDE INFO

"Judge" 라는 영단어는 법정에서 무죄와 유죄의 판결을 내리는 재판관 또는 판사로 배우시지요? 하지만 그 뿐만 아니라 심사하고 판단을 내리는 모든 사람을 judge라고 부른답니다. 예를 들어 아이돌(idol) 선정을 결정하는 "심사위원" 들도 영어로는 judge라고 부르시면 된답니다. 단, 운동경기의 "심판" 은 "referee" 또는 줄여서 "ref" 이라고 부릅니다.

다녀왔어요.

- (x) I came back.
- (o) I'm home.

한국어 심리로는 이해가 잘 안되실 거예요. 성인들은 그냥 받아들이시던데 아이들은 계속 이상하다고 불평을 하는 표현이기도 합니다. "잘 다녀왔다"는 말을 영어로는 "나 집이에요"와 같이 해야 하기 때문입니다. 마치 "내가 집이다(I = home)"처럼 들리기도 합니다. 이렇게 표현하는 이유는 영어의 심리에서 집이란 곧 그 집 안에 사는 사람이기 때문입니다. 그래서 "나의 가족과 가정"도 home이라고 합니다.

✔ 활용 예시

I'm finally home. (마침내 집에 돌아왔다.)

I'm back home safe and sound. (무탈하게 집에 잘 돌아왔어요.)

Do you miss home? (가족들 보고 싶어?)

You got a lovely home. (정말 사랑스런 가정이네요.)

A: Is Yuri home? (유리씨 있나요?)
B: She's not home. (유리 나갔어요.)

👉 SIDE INFO

"다녀왔다"와 마찬가지로 "나 거의 다 와가"도 한국어 심리대로 I almost came과 같이 말하시면 소통이 안된답니다.

I'm almost there. (이제 거의 다 왔어요.)

We're here! (우리 도착!)

오늘 저녁에 시간 있어요?

(x) Do you have a time this evening?

(o) **You got a plan this evening?**

갑자기 퇴근 후에 친한 동료와 술 한잔 하고 싶네요. 그래서 저녁에 시간이 있는지 물어봅니다. 하지만 한국어 심리 그대로 옮기면 상대방이 어이가 없어 웃을 수 있습니다. 영어의 표현심리로 말을 해볼까요?

✔ 활용 예시

A: Hey, do you have a plan this evening?
(저기, 오늘 저녁에 시간 있어요?)
B: Sorry, I got a plan.
(어쩌죠? 계획이 있어서요.)

A: You got any plan this Saturday evening?
(이번 토요일 저녁에 시간 있어?)
B: No, I'm free this Saturday evening. What do you got in your mind? (토요일 저녁이면 할 일 없는데. 왜, 뭐 하고 싶은데?)

👉 SIDE INFO

친구들 사이에 아래와 같은 대화도 참 자주 하게 되지요.

A: Okay, mea culpa so very much. (그래, 다 내 탓이다.)

B: Too little, too late! (거 하나마나한 사과는, 완전히 엎드려 절 받기 아냐?)

커피 한잔 주세요.

> (x) Give me a cup of coffee.
>
> (o) Can I have a cup of coffee?

한국식 표현심리로 "커피 주세요"를 "give me"로 표현하시면 상대방이 상당히 불쾌하게 받아들일 것입니다. 한국어 "주세요"는 예의를 차린 표현이지요? 영어의 표현심리로는 "제가 가져도 될까요?"와 같이 표현하시면 됩니다.

✅ 활용 예시

A: Hi, what can I do you for? (안녕하세요? 뭘 드릴까요?)
B: Can I have a cup of coffee? And a couple of pieces of cheese cake, please? (커피 한잔 주실래요? 그리고 치즈케익도 두 조각 부탁해요.)

Can I get a beer? Make it light, please.
(맥주 한잔 주실래요? 라이트 맥주로 부탁해요.)

👉 SIDE INFO

액체나 아니면 옛날에 언어규칙이 만들어질 때 큰 덩어리를 작게 잘라서 팔던 셀 수가 없는(uncountable) 명사들은 원래 a glass of milk (우유 한잔), a cup of coffee (커피 한잔), a slice of cheese (슬라이스 치즈 한 장) 또는 a chunk of cheese (치즈 한 덩어리)와 같이 표현하는 것이 원칙상 올바르지요. 하지만 실제 회화에서는 다들 그냥 a coffee 또는 a beer과 같이 간단하게 표현한답니다.

Wanna grab a beer? (맥주 한잔 할래?)
Let's go grab a pizza. (피자 한번 먹으러 갈까?)
단, 물은 a 대신 항상 some을 사용합니다: Let's go drink some water.

어떤 재료가 필요한가요?

(x) What's the material?

(o) **What's the ingredient?**

한국어로 재료는 그냥 재료입니다. 하지만 영어에서는 재료라고 다 같은 재료가 아니랍니다. 가장 많이 알고 항상 사용하시는 material이란 어휘는 건물이나 특정한 제품(product) 등 무언가를 생산하는데 사용되는 자재의 의미입니다. 반면에 음식을 만들 때 사용하는 재료는 ingredient이라 합니다.

✅ 활용 예시

Holy smoke, look at all the ingredients.
(맙소사, 저 엄청난 재료들 좀 봐요.)

First, we need to get the ingredients.
(먼저 재료부터 사와야지.)

We need so many different ingredients.
(이거 이것저것 재료 진짜 많이 들어가요.)

👉 SIDE INFO

Wow, it's so good. What's in it?
(우와, 진짜 맛있어. 이거 안에 뭘 넣은 거야?)

우리 끝말잇기 해요.

- ✗ Let's play the Word's-ending Following Game.
- ○ **Wanna play Word Chain?**

영어교육 app 개발 업체에서 마케팅을 전문으로 해오며 누구보다 영어를 제대로 배우고 싶어하고 또한 배워야 했던 제 짝궁, 저와 영단어 끝말잇기 하는 것을 참 좋아합니다. 얼마나 단어공부를 열심히 했는지 저희가 처음 연애를 시작했을 때부터 이미 상당한 실력에 정말 정확한 미국식 철자를 알고 있었답니다. 그런데 정작 "끝말잇기"는 영어로 무엇이라 부르는지를 못 배웠다고 하네요.

✓ 활용 예시

Let's play Word Chain. (우리 끝말잇기 하자.)

I'm bored. Do you wanna play Grab on Behind?
(심심하네. 우리 끝말잇기할까?)

The game's boring. Wanna play First and Last?
(재미없어. 끝말잇기 안할래?)

👉 SIDE INFO

It blows. (재미없어.)

The movie blows. (지루한 영화예요.)

The party blows. (파티가 즐겁지가 않네요.)

컨닝은 나빠요.

(x) Cunning is bad.

(o) **Cheating is bad.**

컨닝(cunning)은 교활하다, 간계하다는 뜻의 형용사입니다. "넌센스 (nonsense)"와 마찬가지로 다른 의미로 정착된 외래어이네요. 영어에서 온 외래어지만 정작 영어대화에서는 <u>"cheating"</u>이라 하셔야 "컨닝"이란 정확한 <u>의도가 전달</u>이 된답니다.

✓ 활용 예시

Don't cheat on your test.
(컨닝하지 말자.)

I never cheat on my test.
(컨닝한 적 없습니다.)

Nay, cheating's not my thing.
(글쎄, 다른 건 몰라도 컨닝은 아닌거 같아.)

👉 SIDE INFO

한국분들이 흔히 "뷰러(beauter)" 라고 부르시는 화장용품이 일본식 영어표현 이었다는 사실, 알고 계셨나요? 꽤나 오래된 비우라(beauter = beauty + curler) 라는 일본회사의 이름에서 유래한 일본식 외래어가 한국에 전해진 것으로 정작 원어민들은 알아 듣질 못 한답니다.

Beauter (X)

Eyelash curler (O)

표현 098

해경에 도움을 요청해요.

(x) Call the Sea Police.

(o) **Call the Coast Guard.**

어느 나라이건 영해(territorial water)에서의 범죄와 구조를 담당하는 해경(해양경찰)이 있기 마련입니다. 특히나 대한민국과 같이 북쪽에는 북한이 육로를 막고 있고, 나머지 삼면은 바다로 둘러싸인 국가에게 해군(Navy)과 해경(Coast Guard)의 역할은 너무나 중요하지요. 한국어 표현으로는 "해양의 경찰"이지만 영어의 표현으로는 "해안의 파수꾼"이랍니다.

✔ 활용 예시

We need to call the Coast Guard. (해경에 신고해야 해요.)

The Coast Guard **is here!** (해경이 왔어요!)

I wanna be the Commissioner of the Coast Guard.
(장래에 해양경찰청장이 되고 싶어요.)

👉 SIDE INFO

같은 keep up에 목적어를 붙여주는 표현인데, 하나는 잘 하고 있으니 계속해서 하자는 뜻이고, 다른 하나는 그만 안 두면 혼을 내주겠다는 말입니다.

Keep up the good work. (계속 잘 부탁해요.) = Continue.

Keep it up! (그래, 계속해라.) = Stop it.

표현
099

관리사무소는 어디인가요?

(x) Where's the management office?

(o) **Where's the maintenance office?**

한국과 같이 미국도 땅값이 비싼 뉴욕이나 LA 시내에는 한국의 아파트와 같은 다세대주택이 많습니다. 여러 세대가 한 건물에 함께 살다 보니 건물이나 단지 전체를 관리하는 관리사무소가 꼭 있습니다. 한국어 표현으로는 "관리"로 잘 통하는데요, 영어 표현으로는 구분이 좀 필요하네요. <u>경영과 같은 관리</u>는 management이지만 <u>하자와 보수 같은 관리</u>는 maintenance라고 합니다.

✓ 활용 예시

We need to call the maintenance office for help.
(관리사무소에 도와달라고 연락해야겠어요.)

We have really kind maintenance officers.
(우리 관리사무소 직원들은 참 친절해요.)

Our Maintenance Supervisor is really professional.
(우리 관리사무소장님 정말 전문가세요.)

👉 SIDE INFO

한국의 아파트가 모두 영어로 apartment인 것은 아니에요. 세(rent)를 내고 빌린 경우 미국영어에서도 apartment와 같이 말할 수 있답니다. 하지만 영국 등 다른 영어권 사회에서는 flat 등 다른 어휘를 사용하고 있으니 기억해 두시면 소통에 더 많은 도움이 되겠습니다.

Meet me at my flat. (내 아파트에서 만나자.)

서비스예요.

> ⓧ It's a service.
>
> ⓞ **It's on the house.**

식당이나 카페에서 단골(a regular) 대접을 받으시나요? 자주 가는 곳에서는 사장님께서 "서비스"로 이것저것 많이 챙겨주시네요. 너무 감사합니다.

하지만 한국말을 모르는 사람들에게 이 "service"라는 영단어는 전혀 다른 의미로 쓰인답니다. 국가나 공익을 위해 또는 누군가를 위해 물건이나 시간 또는 인력 등 무언가를 제공하는 행위를 serve한다고 표현하며, 이 동사(verb)의 명사(noun) 형태가 뒤에 is (iç) 소리를 붙인 serv+iç 즉, service입니다.

그럼 우리 외국인 손님이나 자리를 함께한 친구에게 "이것은 서비스이다"라고 설명 한번 해볼까요?

A: Wait, we didn't order this coke. (어, 이 콜라는 주문 안했는데요.)
B: A drink is on the house. (음료 한 잔은 서비스예요.)

It's on me. (내가 낼게요.)

Help yourselves. Dinner's on me. (많이들 드세요. 저녁 제가 삽니다.)

Coffee's on us. (커피는 저희가 살게요.)

👉 SIDE INFO

A: I'm kind of a bargain hunter.
(제가 일종의 가성비 따지는 사람이라서요.)

B: Great. Here you buy one bottle, they give you "another for free."
(잘 됐네요. 여기선 한 병 사시면 "1+1"이에요.)

보너스 표현심리

현지 원어민의 표현심리에 조금 더 가까워지기

내 팔자야.

(x) My poor fate.

(o) **Story of my life.**

한국분들이 정말 많이 하시는 말이지요. 무언가 마음에 들지 않은 일을 겪으시면 이렇게 말씀들 하시네요. 그런데 "내가 참 불쌍한 운명이구나"라는 한탄을 한국식 표현심리 그대로 My poor fate, 또는 "나의 안좋은 운빨"이라고 그대로 My bad fortune이라고 말씀들 하셨어요. 한국심리로는 많이 어색할지 모르겠지만, 영어의 심리는 "내 삶의 이야기"라는 표현을 선택합니다.

✓ 활용 예시

A: What are you doing here, hon?
(자기 왜 이리 일찍 왔어?)
B: I just got laid off.
(나 방금 해고됐어.)
A: Oh, maybe it is not the best time then.
(아, 타이밍이 안 좋네.)
B: What is it?
(왜, 무슨 일인데 또?)
A: Jimmy's been suspended.
(우리 아들 정학이래.)
B: Story of my life!
(아이고 내 팔자야.)

우리 같은 학번이야.

(x) We had the same year number.

(○) **We were in the same class.**

한국에서는 고등학교나 대학교 시절 학번을 말할 때 입학연도를 기준으로 따지네요. 미국이나 영국 같은 영어권에서는 또 이를 대하는 심리가 달라서 졸업연도가 기준입니다.

✓ 활용 예시

A: Heard you studied at UCLA too.
(캘리포니아대 LA 캠퍼스에서 공부하셨다고요?)
B: Yeah! I was in the class of '05.
(네, 2005년 졸업반이었어요.)
A: Class of '07. **Real good to see you.**
(2007년에 졸업했습니다. 정말 반가워요.)

엄마 말 좀 들어.

(x) Obey your mother's words.

(o) **Listen to your mother.**

부모님의 말을 듣는다는 것은 부모님이 하라는 대로 따르는 것이 한국어의 표현심리입니다. 그래서인지 대화 중에 obey를 많이 사용하여 말씀하시던데요. 하지만 영어의 심리에서 obey는 복종하고 따르다는 말로써 너무 강하고 어색합니다. 간단하게 엄마의 말에 귀를 귀울이라는 표현을 해주시면 됩니다.

✔ 활용 예시

Listen to your father.
(아빠 말 들어.)

Good kids listen to their parents.
(착한 아이들은 부모님 말씀 듣는 거예요.)

Told you to listen to your teachers.
(선생님들 말 좀 잘 들으라니깐.)

핫도그 주세요.

미국의 핫도그(hot dog)는 보통 <u>두꺼운 소시지(sausage)</u>나 이것을 빵 사이에 끼워 넣은 것으로 아래의 이미지와 같습니다.

그리고 한국에서 핫도그로 잘못 알려진 아래 사진의 것은 실은 <u>옥수수빵에 소세지를 넣은 것</u>이란 말로 콘도그(corn dog)라고 합니다.

미국 방문 시 음식 주문할 때 참고하세요. 아이들 핫도그 사달라고 해서 핫도그 주문했는데 엉뚱한 소세지빵 받아들고 우는 아이 달래는 곤혹을 치를 수도 있으니까요.

아이스크림 주세요.

한국에서는 아이스바(ice bar) 또는 하드바(hard bar)라고 불리는 것들도 아이스크림(ice cream)과 구분없이 사용이 되는데, 미국 방문하실 때는 정확히 팝씨클(popsicle)을 요구하세요.

팝씨클(popsicle)이란 과일 즉, 과즙을 얼려서 막대기를 꽂아 고드름(icicle = ice + sicle)처럼 만든 것들을 말합니다. 원래 회사 이름이었는데 이제는 그냥 일반명사처럼 사용한답니다.

FYI (For Your Information, 참고로), 영어에서 아이스크림(ice cream)이라 함은 배스킨라빈스(Baskin-Robbins) 아이스크림처럼 우유를 얼려서 만든 크림(cream)류만을 말하는 것입니다.